嘘と孤独とテクノロジー

知の巨人に聞く

エドワード・O・ウィルソン Edward O. Wilson
ティモシー・スナイダー Timothy Snyder
ダニエル・C・デネット Daniel C. Dennett
スティーブン・ピンカー Steven Pinker
ノーム・チョムスキー Noam Chomsky
吉成真由美 インタビュー・編 Yoshinari Mayumi

インターナショナル新書 051

目次

第3章 ダニエル・C・デネット
世界は「理解していないけれど能力がある」現象で回っている

第4章 スティーブン・ピンカー

なぜ人類の暴力は減ってきたのか

第5章 ノーム・チョムスキー

新自由主義はファシズムを招く

まえがき

宇宙の中であなたが確実に改善することができる一角がある。それはあなた自身だ。

――オルダス・ハクスリー

「利己性」「利他性」「社会性」

哲学者であり経済学者だったアダム・スミス（1723－1790）は、『国富論』（1776年）の中で「すべてはわれわれのもので、他人には何も与えない、というのが人類の支配者たちの卑劣な行動原則であるようだ」（第3編 第4章）と人間の「利己性」について述べています。

一方でスミスは、「人間は利己的であるかもしれないが、他の人たちの幸せに気を配り、必要な援助をするという性質を明らかにもっているようだ。相手が喜ぶのを見るということ以外に、まったく見返りのない場合であっても」と人間の「利他性」について『道徳感情論』（1759年）の書き出しで語ってもいます。

人類が示すこの「利己性」と「利他性」そして「社会性」は、一体どこから来ているのでしょうか。

生物の世界では、たとえば個々のアリは非常に単純な生物ですが、それらが何千と集まって形成されるアリのコロニー（集団）は、優れたリーダーがいるわけでもないのに、素晴らしい集合知能を発揮します。魚の群れや鳥の群れも、リーダーがいないのに、全体があたかも一つの生物のごとく急激に方向転換したりスピードを変えて移動したりします。

また人間の脳も、個々の神経細胞は電位変化を伝達するという単調なタスクを担っているだけなのに、何百億という数の神経細胞が集まると、「感情」や「意識」や「自己」や「知能」といった驚くほど複雑な現象が出てきます。

集合体がその構成要素とはまったく異なる性質を示す場合、この特性は「創発 emergence」されたものと呼ばれています。

物理学の分野でも、たとえば、ダイアモンドと鉛筆の芯は同じ炭素原子からできていますが、まったく異なる特性を示しますし、水の場合も、氷、雪、水蒸気など、同じ分子からできているにもかかわらず、まったく異なる特性を「創発」します。特定の物質が超低温に冷却されて起こる超電導（電気抵抗がゼロになる）現象も、絶縁体がなぜ急に超電導物質になるのか、物質の構成要素を調べただけではわかりません。

人間の場合、人数が多くなると、「企業」や「町」や「国家」といった集団としての新たな特質が現れてきます。たとえば、個人的には誰も戦争などしたくないのに、集団になると強い暴力性が出てくるのはなぜなのか。経済学でも「合成の誤謬 fallacy of composition」と言われて、個々人レベルのミクロ状況ではうまく機能することも、国家全体といったマクロ状況では該当しないことがよく知られています。

世界各地でポピュリズムやナショナリズムが台頭している今日、今回インタビューした世界的な叡智5人は、加速度的な速さで変化していく不確実な社会に生きるわれわれに、「集合知能」や「集合暴力」や「集合利他性」などが、どのように「創発」され、インターネット社会はどのような方向に向かっていくのか、インターネットは新たなファシズムの温床となるのか、といった疑問に対して、斬新な視点や大局観というものを提示してくれます。

――エドワード・O・ウィルソンは、2度のピューリッツァ賞を受賞した生物学者／昆虫学者で、アリ研究の世界第一人者であると同時に、「社会生物学」や「進化生物学」分野の創設者であり、生物多様性ならびにエコロジー研究の泰斗でもあります。「利己性」と「利他性」と「社会性」についての鋭い考察を提供し、人類が「石器時代の感情と神のようなテクノロジーをもつ」ことの矛盾からあらゆる問題が発生していると言います。

――ティモシー・スナイダーは、気鋭の歴史家であり、冷戦時代に「鉄のカーテン」でブロックされていた東欧側の膨大な資料に基づいて、新しいホロコースト史をまとめ、人類の暴力のメカニズムを明かして、世界中に衝撃を与えました。インターネットを介したファシズムの台頭を避けるためには「真実」と「知識」と「組織」が大事で、民主主義は「法の支配」のもとに不完全さと多様性を許容するから、社会が次第に安定していくことができるのだと。

――ダニエル・C・デネットは、哲学者であり認知科学者で、長年にわたって「意識」や「自由意志」の問題を研究してきて、社会は「理解していないけれど能力がある」現象、つまり「創発された集合知能」で回っていると言います。システムが巨大化したために情報寡占企業はもはやネットワークを制御できなくなっており、「プライバシー」がいかに大事かを指摘します。

――スティーブン・ピンカーは、認知心理学者で、大方の認識に反して、世界から暴力は確実に減少しつつあり生存条件も向上し、人類は着実に進歩してきていることを膨大なデータをもとに検証しています。もはや「一民族一国家」は成り立たないが、かといって将来人類が一つの世界政府のもとにまとまるとは思えないとも。また親が子どもに与える影響はごくわずかしかないという指摘も、驚くと同時にちょっと安堵するような。

――ノーム・チョムスキーは、言語学者にして哲学者であり政治学者でもあります。アメリカの帝国主義外交や新自由主義（ネオリベラル）政策を厳しく批判し、大きな経済格差をもたらした元凶である新自由主義が、今後新たなファシズムの台頭につながると警鐘を鳴らしています。

アッと驚く熱血物語もあります。ウィルソンとスティーブン・ジェイ・グールド（進化生物学、1941-2002）との「社会生物学」大論争、ウィルソンとジェームズ・ワトソン（DNA構造解析に成功）との「進化生物学」対「分子生物学」闘争、ウィルソンとリチャード・ドーキンス（進化生物学）の進化論争などに加えて、教育の基礎は「練習と訓練だ」と言うデネットに対して、「好奇心と情熱」だとするウィルソンが対決。「知識と思考法」の両方必要だとするピンカーが仲裁を。

さらにテクノロジーの発達によって「人類が己の遺伝的未来を自らの手で決定していくような『意図的進化』の時代になる」と言うウィルソンに対して、「『新たな創造説』など近視眼的で、世界がどれほど複雑なのかまったく把握していない」と真っ向から反論するデネット、「テクノロジーは単なる道具にすぎないのであって、人間の本質は変わらない」と言うチョムスキーなど、人類の将来についても意見が分かれます。

行きすぎた新自由主義とグローバリゼーションがもたらす、権威主義への傾斜と「法の支配」への軽視が、インターネットを介した新たなファシズムの台頭を許すのではないかという強い懸念がくり返し出てくる一方、ピンカーは、人間の「理性」や「共感力」や「問題解決能力」を中心とする人類の叡智、とくに集合的叡智というものに高い信頼を置いていていて、思わずポジティブな気持ちにさせられます。彼の「人間の本性」についての話には、男女の攻撃性の違いやビートルズの「エリナー・リグビー」まで出てきて、実にカラフル。

「悪徳の凡庸さ」という言葉を使って、「最大の暴力は『考える』ことをせずに素直に指示に従ってしまう善良な一般人によって行われる」と指摘したのは政治理論家ハンナ・アーレント（1906-1975）でしたが、これら5人の叡智たちが提供する刺激的な視点が、わずかでも考える糸口となればとの思いでインタビューをまとめました。

なお各章のイントロとインタビュー、並びにその翻訳と注を含む編集の文責は筆者にあります。

吉成真由美

第1章　エドワード・O・ウィルソン

生物学者／昆虫学者

「人類は石器時代の感情と、神のようなテクノロジーをもっている」

Edward O. Wilson

ハーバード大学比較動物学博物館名誉教授。アリ研究の世界第一人者にして、「社会生物学」「進化生物学」分野の創設者。著書に『人間の本性について』『the ANTS』（ともにピューリッツア賞）、『生命の多様性』『社会生物学』など。アメリカ国家科学賞、国際生物学賞など受賞。

photo:Carl Rutman

利害を超えたすべての生物への愛というものが、人類の最も崇高な属性である。

——チャールズ・ダーウィン（『人間の由来』）

『我々はどこから来たのか　我々は何者か　我々はどこへ行くのか』とは、ポール・ゴーギャンがタヒチで描いた晩年の傑作のタイトルだが、エドワード・O・ウィルソンの人生を通じた研究の課題でもある。

「彼は完全なるスターであり、どうやったらあんなにうまく書けるんだというほどの文章の達人」（ウィリアム・サザーランド、英国生態学会会長）と形容されるウィルソンは、①アリの研究、②人類を含む生物の行動を遺伝学的に研究する「社会生物学」の創設、③エコロジーと種の多様性を研究する「進化生物学」の創設、という3分野で大きな科学的貢献をし、壮大なビジョンを提供することで、長きにわたって多くの人々の自然に対する興味をかき立ててきた。

一匹のアリやシロアリはとても単純な、ほとんど自動装置（オートマトン）とでもいうような、考えずに行動する存在だが、何千、何万という個体が集まってコロニー（集団）を作ると、驚くべき秩序と集団知能を発現させて、素晴らしく効率の良い再生産社会を構築し、建築家アントニ・ガウディも顔負けのみごとな巣を建設したりもする。

さらに興味深いのは、巣を構築して守るための「協調性」と、テリトリーと食料を確保するために行われる侵略と防衛のための「攻撃性」とが、個体の中に、そして集団の中に併存していることだ。いずれも再生産によって自分たちの生存確率を上げるために発揮されるものだが、その際にカギとなるのが、個体がもつ「社会性」という特質になる。

ウィルソンは、「社会性」こそがアリや人類などの進化上の大成功に大いに貢献してきたと言う。これは、チャールズ・ダーウィン（１８０９-１８８２）が『人間の由来』（１８７１年）の中で、お互いに助け合う「社会性」を備えた種のほうが、存続に有利になると語っていたこととも重なる。そもそも人間の脳にしてからが、一つ一つの神経細胞はとても単純な作業をする装置にすぎないけれども、それが何十億という数で集まり繋がり合うことで、「自己」という意識や高い知能が発現する仕組みになっている。

地道なアリの研究を礎（いしずえ）として人間社会を眺めてみれば、そこには「社会性」を示す生物としての驚くほどの類似性が見てとれる。そこから生物の社会行動を研究する「社会生物学」が誕生することになった。そして人間の本質は、タブラ・ラサ（白紙）で始まる経験論でもなければ、遺伝子決定論でもなく、遺伝子と環境の相互作用によって構築されるものだと最初に提唱したのもウィルソンだった。

さらに、進化がもたらした生物の多様性こそが、地球を安定化させホメオスタシス（恒常性）を保つために大きく貢献してきたのだと言う。人間は膨大な種類の種からなる生物圏の一員であり、圧倒的に複雑な相互依存関係のもとで生命を紡いでいるのだということを認識していくべきであり、人類が存続していくためには、この自然環境の維持に大いなる努力を払う必要があると強調する。

そして現在の人類が抱える苦悩とは、「石器時代の感情と、神のようなテクノロジーを併せもつ」という矛盾から生じてきていると言う。すなわち、感情のほうは石器時代からほとんど変わっていないのに、指数関数的な発達を遂げるテクノロジーが社会に破格の効率性をもたらすことで、「孤独」や「集団ヒステリー」を生む土壌を提供する羽目にもなっていると。

社会生物学や進化生物学といった新しい分野を切り開いてきたウィルソンは、時として過激な批判や反対運動にもさらされ、闘ってきた。

科学的根拠に乏しい議論や単なるレトリックに対しては、あくまで毅然とした姿勢をとりながらも、昆虫の話になると思わず満面の笑みがこぼれるウィルソンと話をしていると、「昆虫学者はなんだか楽しそうだなぁ」という気持ちがふつふつと湧いてくる。

インタビューはボストン郊外にあるリタイアメント・コミュニティ（プロフェッショナルのためのシニアホーム）の温室で行われた。便利だからということで（レストラン、スポーツ施設、医療施設を備えている）15年前にこちらに引っ越してきて、ここからハーバード大学に通い、世界中に調査探検や講演に出かけたりしている。

（2018年12月収録）

「真社会性」

●「真社会性」を示す生物の数が少ない理由

——個体のアリは、かなりシンプルな生物ですが、たとえば「ハキリアリ」のように、コロニー（集団）になると驚くべき行動を示すものもあります。このような集団知能はどこからくるのでしょうか。

ウィルソン　アリが示す非常に複雑な社会的行動は、アリの種類によって異なりますが、それぞれのアリにあらかじめプログラムされたものです。アリは「考える」ということをしない。環境についていてたくさんのことを習うことはできるし、巣のメンバーについても習うことができますが、基本的に彼らは本能に基づいて、協力し合うグループとなるように行動しているだけです。彼らのような非常に高い社会性を示す生物は、「分業」ということをするわけです。生殖行動をするわずかな個体がコロニーの親になり、その他大勢はたとえ生殖機能を備えていても生殖を行わない個体群となる。

アリやシロアリのような社会性昆虫や、人類を含めた他のいくつかの高度な社会性を発達させた種は、「真社会性 eusociality」と呼ばれる特質を備えています。ギリシャ語を語源とするｅｕとは「真実」という意味ですから、eusociality とは「真の社会的行動」という意味になります。社会の中で誰が生殖活動をして誰がしないのかがハッキリと分かれます。コロニーの個体数増大に主に寄与する個体、それが王族すなわち女王であって、女王のみがオスと生殖することになる。「真社会性」という特質がカギで、これが「高度なレベルの協調」と「本能的な行動」の連携を生み出して、複雑なアリのコロニーや人間の脳というものを生み出すわけです。

生命の誕生から現代までのさまざまな生物種を、化石や古代生物や生物の比較行動などの膨大な資料をもとに研究した結果わかったことですが、アリや人類などに見られるような最も高度な社会を形成する「真社会性」というものは、生物進化の歴史上、少なくとも17回実現しています[*1]（*Genesis: The Deep Origin of Societies*, 2019）。

地質学研究に基づいて約5億年前からの生物の出現を地質学的に見てみますと（約5億5000万年前「カンブリア紀の生物大爆発」が起こってアンモナイトなどの肉眼で見える多細胞生物が出現してきた）、魚類、爬虫類、恐竜、哺乳類など次々と出現してくるわけですが、「真社会性」も出現してきました。現在ではアリ、シロアリ、社会性を示すハチをはじめとして、他にもいくつもの生物がいますが、人類も「真社会性」を示す種のうちの一つと考えていいでしょう。

＊1　約5億5000万年前、「カンブリア紀の大爆発」から「顕生代」が始まった。「顕生代」は古生代、中生代、新生代と分かれていて、昆虫が誕生したのは約4億1500万年前の古生代「デボン紀」にあたる。さらに「真社会性」を示す昆虫が出現してきたのが、中生代から新生代にかけてであり、アリは約1億4000万年前の中生代「白

亜紀」に出現している。

今日の「真社会性」生物の原型は少なくとも17回、それぞれ独立して出現してきている。テッポウエビ alphaeid shrimp が3回、スズメバチ vespid wasps が2回、キクイムシ bark beetles が2回、ハダカデバネズミ naked mole rats が2回、そしてアリ ants、シロアリ termites、ジガバチ sphecid wasps、アロダピン蜜蜂 allodapine bees、オーゴクロリン蜜蜂 augochlorine bees、アザミウマ thrips、アブラムシ aphids、そして人類がそれぞれ1回ずつ、独自に「真社会性」を発現してきた。

現在知られている約100万種類の昆虫のうち、「真社会性」を示すのはわずか2％、すなわち約2万種類くらい。

――「細胞性粘菌」などにも、多くの個体が協力し合って一つの個体のように行動するという、似たような特徴が見られますが。

ウィルソン　それは細胞レベルの話ですね。われわれの体は次のレベルにあります。まずそれぞれの細胞が協力し合って臓器を作り、次にそれらの臓器が協力し合って現在のわれわれわれの体のような、高度に複雑なものができあがったわけです。そうやってできたアリや人類が、今度はそれぞれが単独で行動することもあるけれども、多くの個体が協力し合って驚くような集団行動を示す。この「真社会性」というものが、生物の歴史上少なくとも17回起こってきているのです。

――「真社会性」がそれほど成功をもたらすのなら、なぜもっと生物界で普及していないのでしょうか。なぜたった17回くらいしか起こらなかったのでしょう。それほど成功するのなら1000回起こってもおかしくなかったのではないですか。

ウィルソン　それは実にいい質問です。もしそうだったら、地球を占拠している種の種類はずっと少なかったでしょう。現在は約1000万の種が存在していますが、そのうちわずか数千種が非常に高い社会性を示すものです。進化の過程で17回ほど、それぞれまったく独自に起こった変革によってできた「真社会性」を示すグループに属する種ですね。
　質問に対する答えですが、「真社会性」に至る道のりが非常に難しいからだと考えています。17回とも、進化上で同じステップを経て誕生しているんですね。単に「頭のいい大人が集まって、生殖活動する者としない者といった永久的な役割分担を決めたからできた」というような簡単な話ではないわけです。こういった高い社会性を示す種は、同じ道のりを経てきました。

まずメスが単独で、またはオスを伴って巣を作る。そして早いうちから、子孫の一部が巣外に出て食料を求めている間に、他の一部は巣に残って巣を守ったり次代の子孫の養育にあたるといったことを始めました。その際巣は、成長した個体の群れによって守られた特別な場所になっていなければならない。ありとあらゆる種について調べてきましたが、いずれも高い社会性を示す場合は、同じような道のりを経て巣を作り、巣がグループにとっての「本部 headquarter」のような存在になっています。

では人類にとっての「巣」とは何か。それは「たき火（キャンプファイヤー）」なんですね。

――「たき火」ですか……。

ウィルソン　そうです。文化人類学者たちも、独自の研究で同じ結論に至っています。人類は群れで暮らすようになってから、その群れの中心にたき火があり、分業といった高い社会性を示すようになっています。群れの一部が食料確保に出かけている間に、別の一部はとどまって別の作業をする。人類は最もうまく環境に適応してきた種であり、おそらく最も進んだ「真社会性」を示す種でしょう。

――つまり、「真社会性」を生み出すのは、進化上非常に難しい道のりだったということですね。だから数が少ないのだと。

ウィルソン　そうです。それに至る条件を満たすのが難しかった。

もう一つ言うと、これについてあまり話題にしたがらない人たちも多いのですが、「群（グループ）選択」の必然的な結果だという点です。「群れvs群れ」の競争ですね。グループ間の競争については、100万～300万年前に人類の祖先がアフリカにいたころからすでに「群れvs群れ」の競争があったことがわかっています。時にはかなり暴力的だった。原人類のころから若い男たちが「群れvs群れ」の争いに駆り出されています。この「競争を好む」性質は、「群選択」によってもたらされた人類の本質的な性質であり行動でもあります。

●グループ内では利己的な個体が勝つが、グループ同士の競争では利他的なグループが勝つ

――ご著書『the ANTS』（1990年）によると、アリはしばしば戦争をして、キイロマルガシラシロアリ Globitermes sulphureus のように自爆テロをするアリもいるようです。「強い攻撃性」は、社会的な、そして「真社会的」な動物の特徴なのでしょうか。

ウィルソン　ほとんどの場合においてそうですね。必ずしもそうでなければならないわけではないですよ。ただ、アリとシロアリは、地球上で最も成功した「真社会性」を示す生物に数えられるものですが、コロニー同士の戦争は頻繁に行われています。社会性を示すハチやスズメバチには、明確なコロニー同士の争いというものは見られないようです。ただ、誰が良い巣の場所を見つけるかとか、誰が食料をうまく見つけることができるかといったことについての競争はあります。そこから新しいコミュニケーションや協力といった行為が生まれてくるわけです。つまり「群選択」は、必ずしも暴力的な行動を招くとは限らないということです。

――「利他的行為altruism」というものも、社会的生物によく見られる行動ですが、こちらのほうも高い社会性がもたらすものなのでしょうか。

ウィルソン　そうです。少しだけ社会性のある生物から、非常に社会性の高いものまで、生物種が進化してきました。小さいものから大きいものまでグループが形成されて、グループ内での協力の度合いとか、他のグループとの競争能力の違いなどが見られるようになるんですが、そこには一つの法則があります。

それは「ある一つのグループの中では利己的な個体が有利になるが、グループ全体として行動する場合は利他的なグループが有利になる」というものです。遺伝的に近い個体が集まってグループができているわけですが、お互いに協力し合う非常に利他的な個体が集まった社会性の高いグループが、グループ間での競争に勝つことになります。

●アリの力

――ハチの場合は、メイソンハチのように約90％が単独行動をします。「真社会性」を発達させなくともサバイバルには問題がないようです。「社会性」は、種の生存にとってどれほど重要なのでしょうか。

ウィルソン　非常に重要ですね。だからアリやシロアリや人類は非常に多くの数が生存しているわけです。

　これはかなり大まかな推測なので異論が出ることも承知で言いますが、地球上に生息するアリの数と人類の数を比べてみると、以前、イギリスの昆虫学者・環境学者C・B・ウィリアムズ（1889-1981）が、牧草地の土壌を掘り返して、その中にいたアリを含むすべての昆虫を数えたんですね。その情報から推測して、ある島全体の昆虫の数、それからある大陸全体の昆虫の数、そして地球全体の昆虫の数という具合に拡大して推測していったんです。それで地球上にいるアリの数は約1京匹（1兆の1万倍、10^{16}）ということになった。

　そして人類を約100億人とした場合、人類は地球上に10^{10}存在していることになる。さらにアリの体重は1～10㎎ですから、1人の人間の体重は約100万匹のアリに相当することになります。つまり人間はアリよりも10^{6}倍重いことになる。しかしアリは人類よりも10^6倍数多く存在していますから、大雑把に言って、地球上に存在する人類とアリとは、だいたい同じくらいの重さになるということになります（笑）。まあこれは0の一つや二つずれている可能性も大ですが、サイエンティストがよくやるゲームの一つですね。[*1]

＊1　Bert Hölldobler & E. O. Wilson, *Journey to the Ants*, 1994 に記載。ただしアリの体重が10mgだとしても、この計算だと人間は10kgになってしまう。

――そうなら、核戦争が起こった場合、生き残るのはゴキブリではなくアリということになりますか。

ウィルソン　そうでしょうね（笑）。ついでに言いますと、実は沖縄で世界で2例目の「洞窟アリ」が２０１８年に発見されているんです。何世代にもわたって一生を洞窟の中だけで連綿と過ごすアリです。アリは北極・南極を除いて、世界中どこにでもいます。アリ学者たちは、洞窟だけに棲むアリのコロニーが存在するかどうか調査してきたんですね。魚には洞窟の中だけに棲む「洞窟魚」が存在します。体が白くて目がない淡水魚です。アリにもそういう種類があるのではないかと多くのアリ学者たちが思っていたんです。

何年も前ですが、ベネズエラの沖合のカリブ海に位置するトリニダード島（トリニダード・トバゴ）で、洞窟の奥に棲むアリが発見され、当時私の前任者である、ハーバード大学比較動物学博物館昆虫部門のキュレーターのところに送られてきて、これは「洞窟アリ」だということになったわけです。その後私もトリニダード島に行くことがあったので、その洞窟に行ってみることにしました。かなり厳しい道のりだったんですが、やっとたどり着いて探してみると、確かにそのアリが生息していたんですね。

ところが、その数年後に今度は南アメリカの北東部に位置するスリナムに行った際、腐食しつつある倒木を掘り抜いていたら、なんとそこに同じアリがいたんです。つまり「洞窟アリ」じゃなくて、こういった隠れた場所を好んで棲むアリだったわけです。そうなると、一体、真の「洞窟アリ」は存在するんだろうか、という疑問が出てきます。

で、つい最近ですが、日本の昆虫学者が沖縄の洞窟の奥でアリを発見しました。いろいろ調べた結果、どうやら「洞窟アリ」の条件をすべて満たしているようです（満面の笑み）。

この話をしたのは、昆虫学者たち、とくにアリ学者たちは、アリを探して地面を掘り返したり、蝶を捕まえたり、まったく楽しい人生を送っているということを言いたかったからです（大笑）。常に冒険もあり、サイエンスへの真の貢献をする場合も大いにあります。

「利己性」と「利他性」の相克

●「血縁選択」vs「群選択」

――先ほど「群選択」の話が出てきましたので、お聞きしたいのですが、ダーウィンのひそみに倣って（『人間の由来』）、あなたは「自然選択」は「個体レベル」のみならず「グループレベル」でも働いている、すなわち進化の過程では「マルチレベル」で選択が起こっているとおっしゃっていますが、イギリスの進化生物学者ウィリアム・ドナルド・ハミルトン（1936-2000）が提唱した「血縁選択」説よりも、「マルチレベル選択」説のほうがなぜより適切なのか、説明していただけますか。[*1]

＊1　チャールズ・ダーウィンが提唱した「自然選択」説では、生物は自分の子孫をより多く残すように進化してきたはずなのだが、「真社会性」と呼ばれる高い社会性を示して集団生活するアリやハチ、アブラムシ、ハダカデバネズミなどでは、生殖に携わる

のは女王だけで、他は直接自らの子孫を残さずに、コロニーを維持するための労働を提供するような利他的行動を示す。なぜ進化の結果そういう「利他的」行動の仕組みが発達してきたのかが、大きな疑問だった。

ダーウィン自身は、個体にとって一見不利益に見える「利他的」な行動も、それが集団の競争力を高めてその集団のサバイバルを有利に導くのなら、集団レベルで自然選択が働くという「群選択」が起こったことになって、結局はその集団に属する個体のサバイバルにも有益になるのだと考えた。

これに対してハミルトンは「血縁選択」説を提唱した。つまり、同じコロニーに所属している個体は遺伝子を共有しているので、自ら生殖行為をしなくとも、女王が産んだ子どもを育てることで自分の遺伝子を高い確率で残すことができるというもの。進化生物学者リチャード・ドーキンスは「利己的遺伝子」という表現を使って「血縁選択」説をさらに推し進め、自己複製を目的とした遺伝子が自然選択の単位（ユニット）であって、生物個体はその単なる乗り物にすぎないと提唱した。

ウィルソンはアリの研究に基づいて、間断なく繰り返されるグループ間の競争をすべて「血縁選択」説のみで説明しようとするのは無理があると言う。個体レベルでの選択と、グループレベルでの選択というものがあることで、なぜ「利己的」な特質と「利他的」な特質とが併存することになったかが説明できると。

ウィルソン　世界中の進化生物学者たちが、「社会は果たして『群選択』に端を発しているのか、『血縁選択』にそのもとをたどれるのか」という問題に長い間大きな注意を払ってきています。二つの競合する説ですが、科学分野では競合する説がいい結果をもたらす場合が多いわけです。私自身も１９７０年代には「血縁選択」説を強く支持していました。しかしその後、アリのグループ形成を説明するには「血縁選択」だけでは十分でないことがわかってきました。

「血縁選択」説とはつまり、「自己の生殖を諦めたり、他の個体やグループを守るために大きな危険を冒すといったことで、個体は自らすすんで自己を犠牲にするし利他的な行動を示すけれども、自分の血縁のためにそうするのであれば、たとえ自己を犠牲にしたとしても、自分の遺伝子をしっかりと残して『自然選択』による進化のうえで勝利を収めることができる」と考えるものです。そしてその血縁関係が近ければ近いほど、自己犠牲の報酬が大きくなって、つまり自分の遺伝子をより多く残すことができる、と。

たとえば、溺れかけている人を救う場合、それが自分の兄弟なら、従弟妹(いとこ)である場合よりも、より多くの自分の遺伝子を救うことになるという論理です。昔、イギリスの遺伝学者J・B・S・ホールデン(1892-1964)が言っていたことですが、自分が犠牲になることで2人の兄弟を救えるとした場合、兄弟は自分と同じ遺伝子をもっていますから2倍の遺伝子を救うことになるわけですが、従弟妹を救うことでそれと同じ効果をあげるためには8人の従兄妹を救わなければならないと(笑)。

――なるほど(笑)。

ウィルソン 「血縁選択説」とは、この論理で社会が形成されていると考えるものです。それに対して私は同意しませんし、実はダーウィンも賛成していないのです。ダーウィンは『種の起源』(1859年)の中で「アリが私の『自然選択』説に挑戦した」と書いているんですね。働きアリは自分の子孫を作らずに女王アリに奉仕するんですが、子孫を作らなければ自分の働きの報酬が得られないわけですから、なぜ働きアリが「自然選択」の結果出てきたのか、なぜその利他的な行為が「自然選択」によって生み出されてきたのか（子孫を作らないのになぜ形質だけが受け継がれてきたのか）、わからないと。

自分の庭で来る日も来る日もじっとアリとアリ塚を見続けて、しまいには自分の家のメイドさんにまで「かわいそうにダーウィン先生は、他にすることがないのかね」と呆れられるほどだったんですが（笑）、最終的に「群選択」説にたどり着いたんですね。

「群選択」説というのは、「他の競合するグループよりも、自分が所属するグループのほうがよりうまく生き残っていけるようにする性質をグループ内の個体がもっている場合、結果的にはその個体は、グループ内で共有している自分の遺伝子を残すことになる」というものです。

「自然選択」による進化の本質を考えれば、両説の違いは解決されてしまいます。その本質とはすなわち、「自然選択」のユニット（単位）は「遺伝子」で、進化とは、このユニットが複製されることで起こり、「自然選択」のターゲットは、遺伝子が個体の中に生み出す特質だということです。その特質が「社会性」というものであった場合、それによって他の個体と一緒になって協力する傾向を示すことになりますが、その場合は「群れvs群れ」の競争になる。そうでない場合は「個vs個」の競争になるわけです。

●「群れvs群れ」の競争では利他性が選択される

――自然発生したグループの場合、グループ内の個体は、自ずと遺伝子を共有する傾向があることになりますよね。ですから「血縁選択」説でも問題がないことになりませんか。

ウィルソン　ダーウィンは当時「群選択」説にたどり着いて、このように言っています。「ある一つのグループの中では、『利己的』な個体が有利になるのに対して、『群れvs群れ』の場合は、『利他的』な個体がより多く集まっているグループほど競争に有利になる」と。

「血縁選択」説とは、遺伝子が近ければ近いほど、利他的行為の結果がその個体に有利になるというものですから、「群選択」説と何も矛盾するところはないですね。「群選択」の一つの形と考えてもいいでしょう。科学者の一部は、血縁関係が近ければ近いほどグループを形成するようになるという「血縁選択」の論理ですべてを説明しようとしていますが、実際には、グループ同士で競争し合うことはよく見られる現象で、とくにアリの場合は常にグループ間で争いをしていますし、人間の場合もそうですね。

――もし「利己的」な個体がグループの中では有利になるのだとすると、そういう利己的個体は生殖のうえでも勝利を収めるわけで、そうなるとそのグループは、利己的な個体の集団ということになりませんか。

ウィルソン　なかなかいいポイントです。もしグループが一つだけだったら、「利己的」な特質だけが残ってしまうことになりますが、グループ同士が競争し合うことで、そしてその際「利他的」な個体が集まっているほうが有利になることで、「利他的」な特質が進化の中で受け継がれていくことになります。[*1]

＊1　進化における「群選択」説をサポートするウィルソンとハーバード大学の数学者2名との共同論文が、2010年の『ネイチャー』誌に掲載された（*The evolution of eusociality*, Nature, August 2010）が、ウィルソンはこの研究に基づいて『人類はどこから来て、どこへ行くのか』（2012年）を著した。その本を、「血縁選択」説を支持するリチャード・ドーキンスが批判、140人の進化生物学者たちも自分と同意見だと述べた（*The descent of Edward Wilson*, Prospect, 2012）。それに対してウィルソンは、サイエンスはレトリックや投票で決まるのではないと鋭く反論。イギリス

ＢＢＣのインタビューでは、ドーキンス氏との間には科学的論争はない、なぜなら彼は科学者ではなく「ジャーナリスト」であるからと述べている（https://www.youtube.com/watch?v=oqb-zRCFLbU)。

「意図的進化」の時代

●部族主義が宗教を生んだのか

――人間の場合、他の人たちとコミュニケートしたり、分業によって協力し合ったり、集団の中で利他的に行動するといった能力が、再生産の成功をもたらしてきたように見えます。しかし、1970年代以降、たとえばスウェーデンのような先進国では、社会民主労働党のもとで個人の独立ということが奨励され、40年余り経った現在では、スウェーデンでは約50%の人々が一人で住んでいて、これは世界一の割合ですが、そのうち４人に１人は孤独死するといいます（*Single-person households*, Eurostat, 2016)。

将来人類は、テクノロジーの発達に助けられて、ますます一人で生活していくようになるのでしょうか。

ウィルソン　確かに「孤独」の感覚が広がっているようです。そして、孤立していく利己的な人間が引き受けるストレスを、スポーツへの情熱でバランスするようになってきています。資源獲得や領地をめぐって、実際暴力的なやり方で他のグループと競争するわけにはいかないので、その本能的な欲求を満足させるために、ルールにのっとったチームスポーツで代替しているわけです。ですからスウェーデンをはじめとする国々は、自分たちの国のチームが、そして国内ではそれぞれの地方のチームが勝つことに、情熱を注いでいるのです。

――そのチームスポーツを支えている「部族主義 tribalism」（言語や文化を共有する、自然発生した小規模な社会集団が示す強い所属意識のこと）ですが、これが宗教のもとになっているのでしょうか。

ウィルソン　「群選択」の普遍的なプロセス、すなわちグループ間の競合の結果生まれてきた「部族主義」によって宗教信仰というものがはぐくまれてきた、というのはかなり極端な立場ではあります。

宗教信仰、とくに「群選択」に基づいた宗教間の競争は、果たして人類誕生の初期から現在に至るまで存続し続けている「部族主義」に根ざしているのか？　そうです。宗教信仰というものは「部族主義」から生まれてきたものです。だから非常に強い力をもっています。ある宗教に入って信仰に身を捧げるということは、ある部族の仲間に入ることを意味します。宗教の布教活動は、部族仲間になるよう人々を勧誘することと同じですね。

――「科学的（世俗的）ヒューマニズム」を支持されていますが、この概念について説明していただけますか。

ウィルソン　人間の条件（人間のもつ客観的な特性）というものを最も適切に説明できるのは、宗教的な教義ではなくサイエンスによってであるという立場です。最も強力な倫理のシステムというものは、われわれは一体何者であるか、一体どこから来たのか、なぜこのような存在になっているのかを科学的に理解するところから生まれてくると考えます。福音派(エヴァンジェリカル)

の人たちは布教活動にとくに熱心で、人々を自分の宗派に勧誘しようとしますが、あれは部族主義に基づくものです。部族主義の本能は、理性的なあるいは精神的なパワーよりもずっと強いものです。部族に属していたいという欲求は、非常に感情的なものですね。

●人類は石器時代の感情と、中世の組織と、神のようなテクノロジーをもっている

——情報テクノロジー分野の人々は、より多くの人々がソーシャルネットワークを使うようになればなるほど、世界中が繫がって、恐怖や偏見、差別といったことから解放される、つまり「部族主義」から解放されることになると言うわけです。

しかし実際には、インターネットを通じて人々がつながっても、スケールアップした「部族主義」はしっかりと残っているように見えます。インターネットはどのような影響を人類にもたらしてきているのでしょうか。

ウィルソン　何百万年も前にたき火を囲んでグループを形成するようになって、グループ間の争いが出てきてから、グループ内でベストな遺伝子を残していったグループ同士が、

グループ間での競争、とくにテリトリー競争にさらされて子孫を残してきたわけです。その結果、グループ内での「独立」を促す傾向と、グループ同士の争いに勝つためにグループ全体の協調を求める傾向とが、拮抗することになりました。

人間の条件を次のように要約することができます。「人類は石器時代の感情と、中世の組織と、神のようなテクノロジーをもっている」と。これらが同時に存在しているために、現代社会を維持することが難しくなっているわけです。これが人類が直面しているジレンマです。

●遺伝的未来を自らの手で決定していく

――未来学者や歴史学者たちの一部は、おそらくわれわれがホモサピエンスと呼ばれる最後の人類になるだろうと予測しています。つまりわれわれは100~200年後には、自らを崩壊させてしまうか、もしくはテクノロジーを使って、高度な知能を備えたほぼ無機的な「ポストヒューマン」に進化していくだろうと。過去40億年かけて生物は「自然選択」によって進化してきて、われわれはずっと有機的な身体に閉じ込められてきたけれども、これからはAIと融合することによって、人類の誕生以来初めて「人為選択」によって進化していくことができるようになるだろうと。またそれによってホモサピエンスとポストヒューマンとの間には、想像を絶する格差が生じてしまうことになるだろうと言います。

このビジョンに賛同されますか。


ウィルソン　大いに賛同します（大笑）。

とてもうまくまとめて言われました。われわれが向かいつつあるのは「意図的な進化」の時代です。われわれが千年後、百万年後に一体どのような姿になっていたいかを、自身の意図や意志によって決定する時代です。

これからわれわれは自分の遺伝子をコントロールできるようになります。そしてどの遺伝子を残していきたいかを決めることができるようになる。もちろん特定の民族や個人が他より優秀だと決めて彼らが世界を支配するというような「優生学」的なやり方ではないですよ。過去には、われらこそが最優秀なりと宣言する民族が複数いて、その結果どうなったか人類はすでに経験済みですから（笑）。

「意図的な進化」とは、まず個人にとって大きな負担となるような遺伝的な病気や障害を除くこと、そして脳について深く理解することです。われわれの脳の働きが、われわれの存在のほとんどすべてであると言ってもいいくらいですから。そしてまったく新しい進化の過程を経て新たな人類に移行していくためには、どのような社会的秩序が適切で、そのためにはどの程度の個人的制約が必要かを決めていかなければならない。

多くの人々がまだ気づいていないことですが、われわれは新たな進化の方向に大きく舵を切りつつあり、その第一歩が「遺伝子編集」ということです。「クリスパーCRISPR」という遺伝子編集技術を使うことで、二つのことが実現できます。まずそう遠からずして、遺伝子操作や自己の免疫力を補強することでがんを克服できるでしょうし、さまざまな遺伝的な病気も克服できるでしょう。これは大きな進展です。その次の段階では、もしわれわれが望むならばこれは次の扉を開けることにもつながって、たとえばある遺伝的な特質を強調することで、100mを9・0秒で走れる人間を生み出すこともできてしまうでしょうし、特殊な能力を備えた子どもを生み出す誘惑も出てくるでしょう。そして最終的には、人類は己の遺伝的未来を自らの手で決定していくことになるでしょう。

——そうなると、人類は次第に無機的な存在にシフトしていくことで、バイオフィリア

（自然や他の生物とつながっていたいと感じる強い本能的な自然愛）の感覚を失っていくことになるのでしょうか。

ウィルソン　それに関してわれわれにできることは、人口が増えすぎないようにして、自然界を守っていくことでしょうね（自然がなくなってしまえば、自然愛もなくなってしまうから）。

種の多様性

●多様性が高いほど、地球はよりよく維持されていく

――「種の多様性」について伺いたいと思います。

『生命の多様性』（1992年）の中で「われわれは、自身の存在に不可欠の部分も含めて、この生物世界についてまだほとんど知らない、つまりほとんど未知の惑星に住んでいるのだ」と書いておられるとおり、われわれは自分たちが住んでいる世界について、ほとんど知らないわけです。2018年に発表された論文によりますと（PNAS, June 19, 2018）、哺乳

類のバイオマス（生物の量）の96％は人間（36％）と家畜（60％）で、野生動物はわずか4％にしかならないとか（植物82％、バクテリア13％、人類や昆虫を含むその他5％。人類のバイオマスは地球全体の0・01％）。たとえば地球上には常時約230億羽にのぼる鶏が存在しているのに対し（NY Times, Dec 11, 2018）、昆虫は急速にその数量を減らしているようです。

「種の多様性」を維持していくことは、なぜ重要なのでしょうか。

ウィルソン　多くの人たちが心配しているのは、たいていの場合大きな動物に関してですが、実は膨大な数の微生物や植物が地球を支えているのです。それらの異なる生物種の集合を維持することが重要で、そのためには、まず土壌や海中に数限りなく存在している微生物群についてよく調べ、それらが自然に維持されるようにもっていく必要があります。今後どのように自己の遺伝子を改変していこうとも、人類が種として生き残っていくための唯一の可能性は、何百万年にもわたって自然が維持し続けてきた環境を守っていくことにかかっています。

われわれは、自然の中で進化してきた種の一つにすぎず、自然環境の設計者ではなくて「産物」なのです。産物が設計を変えようとするのは、おかしな話です。われわれは自然をそのままにしておく必要がありますし、その中にいる膨大な数の生物種をできる限り保持していくべきです。そのためにはわれわれ自身の行動を適応させていくことが大事です。われわれの長寿と健康と幸福を求める努力は続けていくとして、それ以外の自然についてはそのままにしておいて、地球が維持されていくことが望ましいですね。

――種の多様性が高いほど、地球はよりよく維持されていくということですか。

ウィルソン　疑問の余地はありません！

地球上の種の多様性というものが、われわれを生かしてくれているのです。地球を維持していくためには、種の多様性を維持していかなければならない。

種の多様性について考える際、世界中の鶏の重さと野生動物の重さを比べるといったようなことは、それはそれで面白いでしょうが、それほど重要ではない。肝心なのは、自然環境の中にどれくらい異なる種が存在しているかということです。自己維持できるような自然環境を保存しておいて、人類は必要があればそこにアクセスするという形が望ましい。

世界には真核生物（遺伝子情報を載せたＤＮＡを内包する「核」をもった細胞から成る生物）だ

けで約1000万種類が存在しています。その他にバクテリアなどの原核生物（「核」をもたない細胞から成る生物）もいるわけですね。約1000万種の真核生物のうち、われわれは一体どれくらいの生物について知っているのか。約200万種です。つまり約80％の生物について、われわれは知らないのです。ではわれわれ人類も含めた地球環境の安定に不可欠な自然環境を、一体どうやって維持していったらいいのか。

まず、地球上にいる約1000万種類の生物について網羅的に研究する。それぞれの種について生物学的な研究をするだけでなく、それぞれが他の種とどのように関係しているのか、エコシステム（生態系）についても研究する。そうすることで、エコシステムについてのまったく新たな分野が開かれます。このような網羅的な研究によって、地球環境全体をどのように維持していったらいいのか、どの部分にテコ入れをしなければならないかがわかります。

これは将来の生物学上の大きなチャレンジです。強調したいのは、世界を探検せよ、そしてその中に生きている生物についてよく調べ、それらを維持するためのサイエンスを確立しよう、ということです。

――現在の生物学は、システムズ・バイオロジーなどのコンピュータを駆使した大型サイエンスや、遺伝学や分子生物学のような遺伝子や分子に焦点を当てるものが主流となっていますが、もっとフィールドワークが必要だということでしょうか。

ウィルソン　そう思います。われわれは「地上軍 boots on the ground」と呼んでいますが、実際にフィールドに出ていって、現地探検調査をする人たちがもっと必要です。フィールド基地もまだ不十分ですし、世界中の生息地に出かけていく研究者も不十分です。一体どのような生物が生息しているのか、エコシステムの状況がまだわれわれには把握できていません。

●虫たちの黙示録

――現在の世界規模での生物多様性の喪失は「第6絶滅」とも呼ばれています。人口が増えて、殺虫剤の使用量が増えるに従って、「生物多様性」のみならず「生物の量」も減ってきているとのことです。ドイツにあるクレーフェルト・ソサイエティの報告書によると、昆虫については、過去27年間で75%減少しているとのことです（PLOS ONE, Oct 18, 2017）。「生物多様性」の喪失に関して、現状はどれほど危機的な状況にあるのでしょうか。

ウィルソン　とても心配しています。人類が出現する以前と現在とで、種の絶滅の割合はどのように変化してきているのかと言いますと、人類が出現する以前は、1年に100万種のうち1種が絶滅していたという程度でした。それが現在では、その100〜1000倍の多さであろうと推測されています。たとえばアメリカでは、大量捕獲や河川・湖などの汚染による魚の種類の絶滅は、人類が誕生する以前と比較して900倍にも上るということが最近発表されています。この速さでいくと、あと2、3世代のうちに、世界中で種の大量絶滅が起こってしまうことになる。これはわれわれが直面している「環境クライシス」の一つです。

第一の「環境クライシス」は気候変動によるもので、地球を金星化する方向に進めています。金星の大気は摂氏約480度で、気圧も地球の90倍ですから（European Space Agency, Venus and Earth Compared）、ほとんどの生物は生存できません。地球の「環境クライシス」を放っておけば、金星化に拍車がかかることになってしまいます。

第二の「環境クライシス」は世界中で起こっている農地の拡大と人口増加による水不足です。人口増加は減速しつつありますが、それでも世界中で水不足が問題になっている。

第三の「環境クライシス」が先ほど言いました種の大量絶滅とエコシステムの崩壊です。種の数がある程度以上少なくなってしまうと、エコシステムは崩壊してしまうのです。

一つの例が「昆虫の黙示録（終末論）」です。確かにヨーロッパ、とくにデンマークやスカンジナビアでは長期にわたる地道な調査が行われてきています。アメリカでも、昆虫の数は大幅に減ってきていて、40年ほどの間に40〜80％下がっていると推測されています。

昔は北アメリカで夏にハイウェイを車で運転していたら、時々停まってウインドシールドに張り付いた虫群を拭わないといけなかった。ところが去年の夏、ここ（ボストン近郊）からバーモント州までドライブしたんですが、２００マイル（約３２０㎞）くらいでしょうか、ウインドシールドに引っかかったのは、たった1匹の蛾だった！　これこそ「昆虫の黙示録」です。別名「ウインドシールド効果」とも言う（笑）。これがエコシステム崩壊の一例ですね。どんな波及的影響があるのかは、ここ1、2年で明らかになってくるでしょう。

科学者の姿勢

●STEM教育は間違いだ

――では教育について、そして若い人たちへのメッセージをお伺いしたいと思います。

ウィルソン　地球上の生命体についての実態、「生物とは一体何か、どこから来たのか、どれくらいの数存在するのか、どのようなメカニズムで全体がまとまっているのか」などについての研究はまだ始まったばかりで、これから科学研究分野で、そして教育分野で、大いに注目され推進されサポートされるべきです。

『若き科学者への手紙』（２０１３年）と題した本にも書きましたが、科学分野でパイオニアとなって、「DNA構造の解明」や「分子生物学の確立」といった大きな発見や貢献をしよう思うなら、エコロジー分野に入ることを勧めます。今後20〜30年の間に起こると予測される、エコシステムについての真のサイエンスの確立に参画せよと。そもそも80%の種がまだ発見されていないんですから！「地上軍」に入って発見せよ！そして発見したのち、それらについて研究して、それらの種がエコシステムでどのような意味をもっているのかを、一つずつ解明していく。

それらをもとにエコシステム全体について、分子生物学が行っているような厳密さでもって研究していく。「エコシステムとは何か、どのように機能しているのか、一体何が起こっているのか、なぜ起こっているのか、何かを変えると全体にどのような影響があるのか、どのようにしてその影響を制御していくのか」、これらは膨大なサイエンス分野となります。大いに若い科学者たちに参入してもらいたいです。

さらにサイエンス教育について一言言うならば、実はアメリカには「STEM（ステム）」という教育システムがあって、すべての若い人たちは、サイエンス（S）、テクノロジー（T）、エンジニアリング（E）、数学（M）のすべてについて、多かれ少なかれ必ず学ぶ必要があると言われてきました。経験豊富な学校の先生に聞いてみればわかりますが、世界に貢献できるような優れた人間になりたいんだったら、「生物学者になりなさい。しかし生物学者になりたいんだったら、その前にその基礎となる化学について学ぶ必要がある。そして化学を学ぶのであれば、その前に化学の基礎となる物理学について学ぶ必要がある。そしてサイエンスやエンジニアリングの世界では数学的な言葉が使われているので、数学についてもかなり学ぶ必要がある」というふうに言うんですね。それらの基礎を学んでから、生物学に入っていくんだと。

しかしこれは間違っている！　まったく逆なんです！

たとえば10歳から18歳くらいまでの若い人たちについて考えてみると、大学に入る前のこの時期にこそ、「若い科学者」が生まれるのです。音楽家やスポーツ選手になる代わりに、この時期に大いに意欲を掻き立てられてサイエンスやテクノロジーの分野に入っていくのです。先生や、本や、文化からの刺激を受けて科学の分野に引き込まれ、自分が好奇心に駆られて、興奮して、何より好きだからやるようになる。そして生物学がいかにエキサイティングであるかを学び、生物学分野で何を研究しなければならないかを学ぶわけです。

●フィールドワークこそ力となる

ウィルソン　その際に、最も適した場所の一つはフィールドワークです。自然世界に対して興味と好奇心と情熱が自然に沸き起こってきたら、あとは簡単です。自然に対する興味からサイエンスの世界に入っていったら、その後で、数学でもエンジニアリングでも化学でも物理でも、自然世界を研究する過程で必要に応じて学んでいったらいい。サイエンスが急速に進化しつつある生物学の分野を研究するにあたって、あとでなんらかの役に立つはずだということで、基礎の部分にたくさんの時間を使うのは無駄です。順序を逆にして、まず実際の研究に取りかかるところから始めたほうがいい。

――ご自身の少年期には、「自然こそが最も安定した信頼のおけるものだ」ということで、自然の中に常に身を置いて過ごされたそうですね。

ウィルソン　確かに私自身は、幸いにもメキシコ湾に面した湾岸地域で育ちましたから、野生のままの自然に恵まれていました。ほとんど誰も足を踏み入れない森とか、海洋生物にあふれた海岸などがすぐそばにあったことで、自然界を探検することに興味をもちました。そして14歳のころ、最初に夢中になったのは蝶でした。

それからフロリダの北にあるアラバマ州の南部に移りまして、トロピカルな気候だったので、蛇に夢中になって、そのあたりには32種類の蛇が生息していることを発見したんですね。14歳、15歳、16歳のティーンエイジャーの間ずっと蛇を捕まえることに夢中でした。どこに棲んでいるのか、どうやって探して、どうやって捕まえるか、捕まえた後どうやって生かしておくか、どこに放してやるかなど、蛇の専門家になっていてもおかしくないほどでした。でもいろいろなことがあって（魚釣りに行った際に魚のヒレが右目に当たって失明寸前になるとか、片耳の聴覚をほぼ失うなど）、結局アリの研究に落ち着いてアリに没頭しました。

私の例が他の人たちのモデルになるとは思いませんが、もし自分の興味や夢が自然界を探索することなら、それは十分に叶えられると言いたい。未知の自然が待っているのです。そういう夢からスタートした場合、その後で学ぶサイエンスの部分は簡単になる。できるだけ早くサイエンティストになって、その後で必要なことを学ぶというスタイルを勧めます。

アラバマ大学に入った時点で、私はすでにアリをはじめとする数種類の生物についてかなりの専門家でした。その後ハーバード大学で若くして教授になりましたが、研究者の道を望んでいるのだったら、こういうやり方もあるということです。子ども時代の終わりから思春期にかけての知能発達のクリティカル（決定的に重大）な時期に、実際に科学者としてのトレーニングを受けて行動することが重要だということを強調しておきます。フィールドワーク分野では十分にそれが可能です。

●文科系と理科系の融合

――ご著書『知の挑戦―科学的知性と文化的知性の統合』（1998年）に関してですが、自然科学と人文科学の統合をどのように考えておられますか。

ウィルソン　私は自然科学に重点を置くことで、芸術分野や哲学分野、歴史分野といった文科系の学者たちの多くを苛立たせてきたことと思います。しかし現在、文科系の学問には新たな黎明期が訪れつつあります。『知の挑戦』から始まって近著である『*The Origin of Creativity*』（2017年）まで、この課題について考えてきました。自然科学と人文科学とがお互いに向けて扉を開けることによって、両者が重なる部分が新たな研究分野となります。「科学的文科系」や「文科的科学系」と言ってもいいかもしれない。

たとえば歴史について言うと、人類がどのようにして現在の姿に進化してきたのか、人間の本質を知ることによって、歴史とは「何がWhat」起こったかを記録するだけでなく、

「どのようにしてHow」起こったのか、「なぜWhy」起こったのかについて、人間の本質を踏まえた、まったく新しい視点を提供することができるようになります。歴史に、文化人類学や進化生物学が融合してくるのです。

また芸術分野に関しても、新たな展開が可能でしょう。人類は視覚と聴覚に大きく頼った生物種ですが、それ以外の種は、エコシステムの中で、種の中でのコミュニケーションをほとんど化学的な手段に頼っているのです。アリをはじめとしてほとんどの生物は、化学物質（フェロモン）を言語として使っていて、これがエコシステムの基礎を形成しています。人間が見ている色の世界をちょっとずらして、紫外線や赤外線の世界にまで広げたり、超音波の音の世界に入り込んだり、匂いの要素もとり入れると、蝶やハチドリや土壌内の昆虫などが見て、聞いて、嗅いでいる世界を見たり表現したりすることもできるでしょう。

――哲学の将来はどうですか。

ウィルソン　われわれの会話は、とても哲学的な内容だったと思います。つまりどうやったら人間の条件をうまく説明できるかということです。科学者がある現象を研究する場合は、「何が What」現象なのか、「どのようにして How」そこに至ったのか、そして「なぜ Why」そうなったのかについて徹底的に究明しようとするわけです。文科系の学問は、同じように現象を説明しようとするのですが、「何が What」ということを説明してある感情を相手の中に引き起こした段階で終わってしまい、それ以上先を究明しようとしません。

――サイエンスの助けが必要だということですか。

ウィルソン 科学者も新たな分野に入っていって、お互いにもっと関係が深くなっていく必要があります。「科学的文科系」や「文科的科学系」の領域ですね。どうやって文科系の学問を良くしていくかというようなことを言うと、また人々を苛立たせることになってしまうかもしれませんが（笑）。

●二大論争の顛末

――それで思い出しました。ご自身は「現在生きている科学者の中で、アイディア（概念）のために実際にアタック（肉体攻撃）された唯一の人」ではないかとおっしゃっていましたね。

ウィルソン　確かに1970年代、「社会生物学」という分野を創設して、人間の本性をどのように説明するかということについて言い出したころ、とくにハーバード大学の教授数人が、私の言っていることは間違っているのみならず、悪影響を与えるものだとして強く批判してきました[*1]。

当時人々は、私自身も含めて、人種差別について非常に敏感だった。彼らの主張は、もし人間の性質や能力や行動が遺伝的なものだということになったら、次の段階は、人種間に能力の差があるという話になるだろう、それは絶対に許容できない、というわけです。それで反「社会生物学」キャンペーンが始まった（人種差別や女性蔑視、優生学につながるものだとする政治的な反対もあった）。

アメリカ文化人類学会の年会では、「社会生物学」は閉鎖されるべきだとさえ提案された。それに対して、これは後で知ったのですが、文化人類学者マーガレット・ミード（19

01－1978）が立ち上がって、「（学問上の）アイディアを多数決で排除しようとすると は、皆さん正気を失ったんですか。アイディアを扱ううえでそれは正当なやり方ではな い」と。幸いなことに今では完全に受け入れられています。

＊1　とくに進化遺伝学者リチャード・ルウォンティンと進化生物学者スティーブン・ジェイ・グールドが、ウィルソンの言っている「人間の本性の形成には遺伝子が深く関与している」という論は「人間の社会や行動についての決定論だ」と強く批判。新たな遺伝環境論争 nature vs nurture を引き起こした。当時、人間の心はタブラ・ラサ（白紙）状態で生まれてきて、経験のみが心を形作るという「経験主義」が主流だった。ウィルソンは、われわれの行動は遺伝子によって形作られるが、遺伝子のみで決定されるのではないと反論した。

――確かに、もはや誰も異議を挟む人はいないでしょう。

ウィルソン　そうです。でも当時は、大いに敵視されて、ある年（1978年）アメリカ科学振興協会（AAAS）のミーティングで、私も講演者の一人だったんですが、スピーチのために立ち上がったら、反対のプラカードを掲げた抗議する人たちが出てきて、私が人種差別を推進していると言ってマイクを奪い、「このような考え方は許されない」と叫んで、そのうちの一人が私の後ろに回って、水差しいっぱいの冷水を私に浴びせかけたんですね。

おそらく生きている科学者の中で、アイディアのために実際にアタックされたのは私一人じゃないでしょうか。でも幸いにも、この仕事で大統領から国家科学賞を授与されましたし、ピューリッツア賞も受けましたので（1979年、『人間の本性について』に対して）、おかげで次第に熱が下がってきたんですね（笑）。

——論争ということで言えば、分子生物学者ジェームズ・ワトソン（フランシス・クリックとともにDNAの構造解析に成功、1962年ノーベル生理学・医学賞受賞）との間にも大論争がありましたね。

ウィルソン　あれはなかなか興味深いものでした。「社会生物学」の論争もそうですが、ハーバード大学には古代ローマの剣闘士 gladiator による戦闘に似た環境がありましたね。好んで戦いに挑むというような雰囲気です（笑）。

ワトソンは、ＤＮＡの構造解析と分子生物学分野の開拓という、まぎれもない素晴らしい業績を打ち立てて、私も含めたすべての科学者の尊敬と称賛を得ています。彼がハーバード大学に助教授として来た時、私もすでに助教授で、われわれ二人の間には当初なんの論争もありませんでした。

彼は近代科学の最も重要なイノベーターの一人です。と同時に、彼はアグレッシブで非常にハッキリものを言う。そして私がやっているような生物学はまったく時代遅れだからもうやめるべきだし、これからはすべて分子生物学にすべきだと主張しました。それに同意するわけにはいかないので、オープンな論争になりました。

ちょうどそのころ、スタンフォード大学から教授職をオファーされましたので、渡りに船で、もう論争しなくて済むから西海岸に移ろうと考えていたら、ハーバード大学がすぐに同じ条件のカウンター・オファーを出してきた。実はハーバード大学には世界一のアリのコレクションがあるんですね。ですから結局こちらを選ぶことにしました。私が教授になってからほどなくして、ワトソンも教授になりました。

それからです、過激な論争が展開されたのは。彼は、私がやっているような研究は排除するべきだと考えていましたし、これからの生物学は「分子生物学」と「遺伝学」で決まりだと。それに対して私は、とんでもない、「エコロジー」や「種の多様性」という限りない可能性を秘めた大問題が控えているんだ、と。で、この分野を総合して「進化生物学」という名前をつけました。しばらくの間は、燦然と輝く巨大な「分子生物学」研究と、比較的小規模な「進化生物学」研究が、大学内で並行しているというような状況でした。

これがいわゆる大論争の顛末ですが、かなり注目されました。おかげで人々がこれらの研究の本質というものを考えるようすがとなった。両方とも必要なのです。「分子生物学」が"What"と"How"を説明するのに対し、「進化生物学」は"Why"、つまり「なぜそうなったのか」を説明します。

ワトソンは90歳で、私も来年90歳ですが、今では非常に親しい友人です。

●延命研究について

——現在、人間の寿命を延ばそうという試みが盛んに行われています。たとえば長寿で知られる数少ない哺乳類であるハダカデバネズミやコウモリを使って[*1]、長寿の秘訣を探ろうとしていますが、いくつかのやり方があって、一つ目は、遺伝子操作によるもので、老化に関与していると思われる、たとえばDAF2といった遺伝子をとり除くというもの。二つ目は薬剤によるもので、メトホルミンなどの薬による延命研究や、染色体末尾にあるテロメア構造の短縮（短縮すると細胞が老化する）をテロメラーゼという酵素を使って防ごうというもの。そして三つ目は、テクノロジーを使って、人間のデジタル・バックアップ・コピーを作ってしまって、半永久的に寿命を延ばそうというものです。

＊1　一般的には、大型動物の方が小型動物よりも長生きだが、野生コウモリの長年にわたる追跡調査によると、Myotisという種類の長寿コウモリは、たった7gの体重しかないのに41年間も生きていて、これは人間に換算すると234歳ということになり、その上まったく老化のサインが出ていないから、まだ伸びる可能性があるようだ。
体のサイズに比して大変に長寿であることがわかっている哺乳類19種類のうち18種類はコウモリだが、残る1種類がハダカデバネズミで、記録に残っている個体だけでも32歳を超えていて、30歳を超えてもまだ繁殖能力があり、老化現象は見られない上にガンにもならないので、この先まだ寿命が延びる可能性が十分あるらしい。

ウィルソン　（笑）。

――これらの試みについて、また年を重ねることについて、どのように見ておられますか。

ウィルソン　専門家の見立てでは、人間の寿命は今のところだいたい115歳くらいまでだろうということですね。私は今リタイアメント・コミュニティに住んでいまして、ここの住人には皆100歳くらいまで生きてほしいと思っていますが、そもそも私が知っている充実した人生を送ってきた人たちに聞いてみると、だいたい100歳くらいで十分だと言いますね（笑）。

まじめに言って、人々は利他的な傾向をもっていますから、莫大なお金とテクノロジーを使って自分の寿命をさらに10年延ばそうとは思わないわけです。避けたいのは、人生のまだ活気あふれる時期にがんやその他の致命的な疾患に罹ってしまうことです。

寿命を延ばすということよりも重要なのは、世界的ないし国家的な人口政策というものを考えることですね。環境や資源などを考慮に入れて、一体どれくらいの人口がふさわしいのか、われわれの子孫に一体何を残していきたいのか、すべての人々に機会があるようにするにはどうしたらいいのか、どのような機会がふさわしいのか、といったことを議論し計画して、地球全体を見渡して、１００万年後の将来というものが存在していけるように努力するということです。

第2章 ティモシー・スナイダー

歴史家

テクノロジーとロシアとファシズムの関係

Timothy Snyder

イエール大学教授（中東欧史、ホロコースト史）。著書に『ブラッドランド』『ブラックアース』『The Road to Unfreedom』（未翻訳）『暴政：20世紀の歴史に学ぶ20のレッスン』など。ハンナ・アーレント賞他受賞。

photo:Joseph Krpelan

人間は多種多様であるという事実を受け入れなければならない。人間であるためには、いろんなやり方があるものだ。完全なる独立を求めず、「快い相互依存」をしよう。完全なる独立には、幸福ではなく無意味な人生と想像を超えた退屈だけが待っている。

——ジグムント・バウマン（ポーランド出身の社会学者）

ティモシー・スナイダーの『ブラッドランド──ヒトラーとスターリン、大虐殺の真実（上・下）』（２０１０年）と『ブラックアース──ホロコーストの歴史と警告（上・下）』（２０１５年）は、冷戦時代に「鉄のカーテン」でブロックされていた東欧側の膨大な資料に基づいて書かれたもので、世界中に衝撃を与えた。それによると１４００万人に上る犠牲者を出したホロコースト（大虐殺）は、ドイツ国内でドイツ人によって行われたのではなく、ドイツ人が侵略する以前にソ連によって国家破壊が行われた東欧で、「市民権を失った人々」が殺され、しかも、ソ連のＮＫＶＤ（スターリンの下でソ連の秘密警察や諜報機関を統括していた内務人民委員部）やドイツのＳＳ（ヒトラー率いるナチ政権の武装親衛隊）のみならず、多くの地域住民によって大量殺戮が実行されたのだった。

そしてファシズムは、１９２０年代に当時のグローバル資本主義と共産主義へのアンチテーゼとして、イタリアで誕生したが、今日再び、世界各地でポピュリズムや極右政党の台頭が見られる。今後グローバリゼーションによって引き起こされた富の格差問題や難民問題を解決するため、そして福祉国家を建設するためという、当時とまったく同じ理由によって、ファシズムが台頭する可能性が大いにありはしないか。

スナイダーは、情報寡占大企業が支配するインターネットが、ファシズムや暴政の温床になりつつあることを指摘して現代社会に警鐘を鳴らすとともに、リベラル派がとってきた「すべては意見の違い」で片づけてしまおうとする態度も鋭く批判し、民主主義を守り暴政を避けるための具体的な20のレッスンを提示している。

民主主義とは多数決のことかと思っていた、というような人も少なからずいるわけで、スナイダーは、民主主義の本質とは何か、私たちにとって大切なこと、重要なことは一体なんなのか、という基本的な部分を、実にわかりやすく説明する。民主主義とは、「法の支配」のもと、何度も間違いを犯すことを可能にする制度であり、国家が「時間」を稼ぐためのシステムだからこそ、不完全であることを許容し、多様性を内包できて、社会が次第に安定していくのだと。

そして、全体主義やファシズムに流されないためには、基本的な考え方ができていればいいのであって、個々人の小さな踏みとどまる意志や真実を大事にしようとする小さな抵抗が、結果として大きな力をもつのだということを、期待させてもくれる。

インタビューは、オーストリアの、街中に音楽があふれるウィーン市にある「人間科学研究所 Das Institut für die Wissenschaften vom Menschen（IWM）」の所長室で行われた。この研究所は、人文科学および社会科学の独立した高等研究所で、もともと東欧と西欧の学術交流、学術分野と社会との交流、ならびに学際的な研究などを目指して、オーストリア政府、ウィーン市、ポーランド政府、チェコ政府からの基金により、1982年に設立された。近年はヨーロッパやアメリカのみならず、アジアやグローバルサウス（南半球の発展途上国）へもその研究領域を広げてきており、毎年のべ100人くらいの研究者たちがここで研究に勤しんでいる。（2018年10月収録）

テクノロジーとロシアとファシズムの関係

●格差問題是正がファシズムにつながる理由

――ファシズムはしばしば他の権威主義と関連して認識されています。たとえば全体主義や、ナチズム、国粋主義、民族主義などですね。あなたはファシズムをどのようにとらえておられますか。

スナイダー　ファシズムというのは基本的に、われわれは個々の人間ではなく、グループであり、一族であり、民族であり、種族であると考えます。ファシズムにおける政治は、「われわれには何が共通しているか」から始まるのではなく、「敵を選ぶ」というところから始まるのです。まず敵が誰であるかを認識するところから始まる。

さらにファシズムは、世界の現状やグローバリゼーションの影響などを見て、そこに「問題や課題がある」と考えるのではなく、誰かによる「陰謀の結果だ」というふうに考えます。政策によって解決すべき問題だととらえるのではなく、特定のグループによる攻撃の結果だととらえる。ファシズムとは政治形態の一つであり、グローバリゼーションへの対処の一方法でもあります。

そしてファシズムの基本には「神話」があります。「われわれの良識」と「世界の現実」を脇におしのけて、そこにできた空間に「神話」を押し込むのです。「われわれはグループとして互いによく似ていて、リーダーと神秘的な関係を結んでおり、われわれが『神話』を作り、それを変えていくことをリーダーが指導する」というストーリーですね。

――ファシズムは、1920年代にグローバル資本主義と共産主義へのアンチテーゼとしてイタリアで生まれたわけですが、そもそもイタリアのファシズムは、民族主義的なナチズムとは大きく異なっていて、強い政府の統制のもと、当時のグローバリゼーションによって引き起こされた富の格差を解消すべく、福祉国家の建設を目指して誕生したというふうに理解しています。

そうだとすると、今日の世界でも、「グローバリゼーションによって引き起こされた富の格差問題を解決するため」、そして「福祉国家を建設するため」というまったく同じ理由によって、ファシズムが台頭する可能性が大いにあるということになりませんか。

スナイダー　それは実に興味深い質問です。イタリアをはじめとしてファシズムは、「富の再分配」を主眼に置いていました。ファシストたちが言ったのは、格差があるのはマイノリティのせいだ、ユダヤ人のせいだと。だから再分配のための最良策は、国家による産業を立ち上げると同時に、他の人たちから富を奪うことだと。ファシズムには確かに「再分配」の概念が含まれていますし、資本主義の失敗もファシズム台頭の理由の一つです。

2008年（世界的な経済破綻）以降、確かに一般的に収入格差が広がって、人々は「自分の問題はメキシコ人や中国人やユダヤ人たちによって引き起こされたんだ」といった言説に惑わされてしまう傾向にあります。トランプ氏のような政治家は、こういった状況を都合よく利用して、たとえば「グローバリゼーションはプロセスの問題ではなく、人々の問題だ」と言うわけです。グローバリゼーションには顔があって、われわれはその顔をブーツで踏みつぶしてやるんだ、と。これが彼の政治観です。

トランプ氏もプーチン氏も1920年代、30年代のアイディアや手法、つまり嘘をばらまいたり「神話」を繰り返し唱えたりといった手法をとり入れていますが、違いは、彼らは「再分配」にはまったく興味がないということですね。この点は大きな違いです。プーチン氏やトランプ氏は、彼ら自身がオリガーク（寡頭財閥人）で、彼ら自身が大金持ちだということです。プーチン氏は本当の大金持ちですし、トランプ氏は大金持ちになりたい人です。彼らは「再分配」したい人たちではないし、するつもりもまったくない。そこが大きな違いですね。

●ポピュリズムは「法」や「体制」をなし崩しにする

――では、ポーランドやハンガリー、オーストリア、ドイツ、フランス、そしてアメリカでも、ポピュリズムや極右政党の台頭が見られます。これはファシズムにつながる現象ととらえて心配すべきなのでしょうか。

スナイダー　民主主義を大切にしたいから心配すべきですが、それよりも根本問題は、「一体われわれは何を望んでいるのか、何がなくなることを心配しているのか」という内容のほうです。

私自身は「法の支配」や「民主主義」「個人の権利」が摩滅していくことを心配しています。ポピュリズムや権威主義、ファシズムは、これらの素晴らしいものをわれわれから奪ってしまうという理由で、大きな懸念材料です。

問題は、脅威や懸念材料については大いに話題にされるけれども、一体何が素晴らしいもので、何をわれわれは望んでいるのか、なぜそれらが素晴らしいのかという肝心な事柄について、深く議論したり考察したりしないというところにあります。

「ポピュリズム」が、人々に声を与えるという意味であれば、それはＯＫですが、「ポピュリズム」が、人々に嘘をばらまくことを意味するなら問題ですし、「ポピュリズム」が、

「人々」という名のもとにシステムのルールを破壊することを意味するのであれば、最悪です。このことを私は心配しています。

ポピュリズムによって出てきたある人物が、「自分は人々の声の体現者である」と言いつのることによって、その人と人々との間にある「法」や「体制」といったものが意味を失っていき、それらは単なる障害物と化してしまって、それらが払拭されることにつながっていってしまう。これこそが危険であると思いますし、こうしてポピュリズムはある種のファシズムに変化していくのだと考えています。

——グローバル企業をコントロールして富の再分配をするためには、世界政府を作って制御していく必要があると考える経済学者たちもいます。それは人々にとって新たな脅威となる可能性も大きいわけで、それならむしろグローバル企業による寡頭支配のほうがまだましなのではないかという気もしてしまうのですが。

スナイダー 世界政府でもなくグローバル企業による寡頭支配でもない、別の方法はどうですか（笑）。

一つの解決法としては、「法」や「市場」を真剣にとらえるということです。

プーチン氏やトランプ氏が支配する世界では、市場は「法の支配」を免れますし、市場が「法の支配」をまったく受けないゾーンがいくつも存在します。オフショア（規制のゆるい海外）の銀行口座やオフショアの企業、匿名の取引、といったものがトランプ氏を作ったのです。「作った」というのは、彼が金儲けをすることを可能にしたという意味であり、彼の世界観を形成したという意味でもあります。つまり「法」は冗談であり、金や権力のみが重要であるという考え方ですね。これはトランプ氏とプーチン氏に共通するもので、プーチン氏もそのように考えています。ロシア全体が、アメリカ資本主義の末端にあるグレーゾーン（合法か違法かスレスレの領域）部分に匹敵すると言ってもいいでしょう。

たとえばグローバル企業が、税金逃れをせずに、タックスヘイブン（租税回避地）を避けて、匿名の取引も行わない、という真っ当なやり方だってあるわけです。これは世界政府という方向ではありませんが、こうすることでオリガーキー（寡頭財閥）を制御することにもなる。なぜなら真の問題は、オリガーク（寡頭財閥人）たちが国の力を逃れていることにあるからです。そして、彼らが国の力を手にした場合、今度は自分たちが国の力から逃れられるようにもっていくために、その力を利用する。

プーチン氏はロシアの国をコントロールしていますが、それを何に使っているかというと、たとえば自分の友だちのチェロ奏者に20億ドルあげるために使っている。これは国のコントロールを逃れたものです。トランプ氏は国の力を手にしていますが、それを何に使っているかというと、自分が世界中にホテルを作るための資金調達に使っている。国の力から逃れるために国の力を利用している。ですから、問題の核心は、国々がどうやってこれを制御していくかということになります。

ロシアと中国問題

●ロシアは「前近代的」国家だ

――そのロシアですが、以前ロシアを「マフィア国家」だと言っておられましたが、ロシアはどういう観点から見てマフィア国家なのでしょうか。

スナイダー　多くの人がそのフレーズを使ってきていますが、私自身はどちらかというと

「オリガーキー（財閥による寡頭制）」というフレーズを使いたい。そのほうがギリシャ時代にさかのぼる歴史的な意味合いが含まれますから。古代の民主主義の議論では、オリガーキーというのは民主主義がうまく機能しなくなると台頭してきます。アリストテレスは、民主主義のリスクの一つとして、金持ちがそうでない階級を欺くために民主主義を使うこともあると言っていますが、現在にもそっくりそのまま当てはまりますね。

ロシアの特徴は、富が限られた人々に集中していて動かないという点にあります。そのために、ロシアには従来の意味での「法の支配」というものがありません。そのことをもって「マフィア国家」と表現するのであれば、そのとおりです。「法」が機能しないことと、社会的な流動性がないことが、ロシアの大きな特徴になります。

この場合、権力を握っている人々は、このやり方が唯一の方法なのだと市民を説得することでのみ、自分たちがサバイブしていくことができる。この部分が、マフィアという比喩では十分でなくなります。マフィアは、「他のやり方はない」というような説得はしませんね。ロシアのような国家は、他の選択肢はないと主張するわけです。力のある者が統治し、富める者が統治する。他のどこの国でもこれが自然の成り行きというものなのだから、現状に満足しなさいと説得するわけです。

——さらにリーダーは常に自分に対する「忠誠」を要求しますよね。

スナイダー　まったくそのとおりです。「忠誠」の要求はトランプ氏とプーチン氏の大きな特徴でもあります。大事なのは「ルール（法）」ではなく個人的な「忠誠」であると。その点では確かにマフィアですが、一歩下がって見てみると、彼らのやり方は「前近代的」だという見方もできます。国家ができる以前の状態ですね。

国家ができる前は、一族というものがあった。一族の中では、特定個人に忠誠を誓うことが大事だったし、忠誠を誓った人たちには、さまざまな報酬が配られた。プーチン氏やトランプ氏には、こういうモデルが最もしっくりくるんですね。

しかし近代政治の歴史は、人々がこのモデルから抜け出すために努力して作り上げられてきたのです。一族のリーダーに忠誠を誓わなくともいいように、政治的にも経済的にも人々が自由に移動することができるようなプリンシプル（原理原則）を作り上げてきたのです。

――ちなみになぜロシアでは、性的指向（セクシュアル・オリエンテーション）の話題が大きな問題としてとり上げられるのでしょうか。イワン・イリン（プーチンが信奉するロシア出身の哲学者、1883－1954）のファシスト的な哲学の影響があるからですか。

スナイダー　イワン・イリンの影響はそれほど大きくないと思います。むしろ自分たちと彼らとを区別するいい方法だからでしょう。腐敗しているのは彼らのほうで、われわれは清く正しいということを強調するための方便ですね。もちろんファシズムとも関連しています。ファシズムは非常にはっきりとした男女の役割を提示しますから、とくに現代ロシアの男性的なものに対する崇拝という気運ともしっくり合っているからですね。

●ロシアにとっての本当の脅威は中国だ

――プーチン氏の「ユーラシア経済連合」構想は、ロシアがユーラシア全体のリーダーとなり、中心となるべきだと提案しています。ロシアの「ユーラシア経済連合」構想と中国の「一帯一路（いったいいちろ）」構想とは、双方ともスケールの大きなものですが、どのように対照して見ておられますか。

スナイダー　私自身は中国よりもロシアについてよりよく知っていますが、両者の主な違いは、中国には、自国のパワーを広げていくための、影響力を増していくための、ある種のプランがあるように見えます。対してロシアには、自国のパワーを広げていくためのプランはないですね。ロシアのプランは、他国のパワーを下げることです。ヨーロッパを弱くすることで、ドイツやフランスの力を弱くすることです。自国を強くするより、西側の国々の力を現在よりも弱めたい。

両者の構想をつき合わせて見てみると、明らかなのは、ロシアがやろうとしているのは地政学的な自殺だということです。なぜなら、長期的にはロシアにとっての本当の問題は、フィンランドでもスイスでもスペインでもなくて、中国だからです。ロシアは、西欧の力を弱めようとしているわけで、いちばん自分たちの味方になる可能性がある国々を攻撃しようとしていることになります。

西欧の力を弱くするというのは、自分たちのエゴを満足させます。だからそうしているわけで、気分のいい派手な騒ぎを起こすことになるし、自分たちの権力を正当化させることになるし、自分たちに力があるように感じることができるし、市民に自分たちの力を宣伝することにもなる。シリアを爆撃したりウクライナを侵略したり、アメリカの大統領選挙を撹乱(かくらん)すれば、自分たちはスーパーパワーであると感じることもできる。しかし実際には、墓穴を掘っているようなものです。

ロシア国家がサバイブしていくためには、西欧と中国とのバランスをとることが必須になりますから、西欧を攻撃することは、このバランスを自ら崩すことになってしまいます。ロシアのやり方は、一人の終身独裁者のために短期的な勝利を求めている、ということですね。

中国のほうは、ある経済政策を展開して、長期的にはロシアを追い詰めることを狙っているとも言えるでしょうし、確実に彼らはそうするでしょうね。そこが大きな違いです。

――中国のどのような点が、ロシアにとって深刻な脅威なのでしょうか。

スナイダー　むしろ中国がロシアにとって脅威でない点があるだろうか、というくらいですよね。

人口統計を見ても、ロシアの人口（約1億4400万人）に対して、中国は桁違いに多い（約14億人）。投資額を見ても、中国のほうがロシアよりも多くシベリアに投資しています。

資源の点では、中国は天然ガスと水が必要ですし、将来的には食料も必要になるでしょう。ロシアにはそれらがすべてあります。現時点では、中国はロシアのエリートたちを買収することでこれらを手に入れていますが、将来的には中国は別の方法でこれらを入手することになるかもしれない。ロシアのエリートを買収するのか、直接奪取するのか、あるいはロシアの南側にある国々を中国側につけることによって入手するのかはわかりませんが、中国は確実に資源獲得に乗り出してくるわけです。

西欧はロシアにとって実際には痛くもかゆくもないフェイクな敵であって、本当の脅威は中国なのです。

「テクノユートピア」と民主主義

●嘘は、人々から抵抗力を奪う

――カリフォルニア大学バークレー校の人類学者アレクセイ・ユルチャクは、1950年代から80年代の終わりにかけてのソ連社会の状況を、「ハイパー・ノーマリゼーション」と呼んでいます。システムが機能していないことを誰もが知っているにもかかわらず、代案を思いつかないので、政治家も市民もシステムが機能しているという嘘を信じるようになり、社会に嘘が蔓延して、人々が嘘に慣れてしまうという状況です。

社会に嘘が蔓延していると、一体何が本当で、何が嘘なのかがまったくわからなくなってしまうので、人々は抵抗する意欲そのものを失ってしまいます。この「嘘をばらまく」という手法は、ロシア政府がコントロール手段として、自国内のみならず世界中で実行しているやり方なのでしょうか。

スナイダー　そのとおりです。しかも、おっしゃるように特定の嘘をばらまくだけでなく、すべての人々を常に不信感で満たすというやり方です。そして、確実な事柄なんてあるんだろうか、という疑いの気持ちを人々に植えつける。

不信感をぬぐえない場合、人々は家にこもる。私はこれを「カウチ（長椅子）ファシズム」と呼んでいます。旧来のファシズムでは、外に出て行進しなければならなかったけれども、プーチン氏もトランプ氏も人々に行進などしてもらいたくはない。

それよりむしろ家にこもって、「ホントかどうかちょっとわからない。嘘かもしれない。だからテレビを見てみよう、インターネットを見てみよう」となる。そういう状況にもっていければ、彼らの勝ちです。

旧来のファシズムでは、真実を払拭して生まれた空間に「神話」を押し込むわけですが、この場合の「神話」とは、「この土地を侵略すべきだ」といったような具体的な行動を伴うものでした。現在のそれは、「何も真実ではない、だから何も行動すべきではない」というものに変わっています。われわれがすべてのお金を獲得して、われわれのやりたいようにやるから、あなた方は家にこもっていなさい、と。確かにこれは非常に効果的な策略で、使っているほうは、その効果を十分に承知しながら使っています。

では、これに対抗する唯一の方法は何か。それはつまり、

「知識は重要だ」

「確認できる事実はある」

「真実は大事だ」

という倫理的な立場をしっかり認識することです。

われわれは自己防衛のために消極的な態度をとってきていて、それは確実に権威主義を下支えすることになっています。すべては単なる意見の違いだとか、あなたの意見も私の意見も両方ともいい、と言ってしまう。地球は平らだ――いや丸い、チョコレートは甘い――いやレモンのようだ、など、(明らかに事実と違っていることでも)みんなさまざまな意見をもっているんだ、ということで放っておく。リベラルな人たちや左側の人たちは、現実の世界というものに無関心で、事実をしっかりと確認することから逃げてきた。一方で、金持ちやメディア操作に長けている人たちが、こういった態度を利用して、リベラルを攻撃することに用いてきたのです。

ですからここで今一度古いやり方に戻って、事実を見つめ、現実をしっかりと手中に取り戻さなければならないと考えています。

●完全な「透明さ」とは全体主義のこと

――これらを踏まえて、インターネットについて伺いたいと思います。

――IT産業に携わっている人たちは、テクノロジーは個人の力を増して、分散型社会をもたらし、それによって世界はより安全に、より透明に、そしてより民主的になっていくと言います。「テクノユートピア」と呼ばれる考え方です。彼らによると、より多くの人々がソーシャル・ネットワークを使ってつながり合うことで、恐怖や、外国人恐怖症、偏見、差別といったことから解放されていくと言います。

しかし現実には、インターネットは個人ではなく、ますますもってごく少数の大規模情報企業やプラットフォーム会社によってコントロールされていますし、マサチューセッツ工科大学（MIT）の研究者が行った大規模なツイッターアカウント追跡調査結果によると、インターネット上では、嘘は真実より70％もリツイートされる可能性が高く、6倍も速く広く深く伝わることが明らかにされました（Science, March 8, 2018）。

しかも、インターネットの普及率は2006年の20％から、2018年には50％まで上がっているのですが（Statista: Global internet access rate 2005-2018）、ポピュリズムの人気も2000年には8％だったものが2018年には25％にまで上がっていて（Milken Institute Symposium, *Europe: Past Tense, Future Perfect?*, July, 2018, Yascha Mounk［ハーバード大学］の発言）、インターネットの普及が必ずしも民主主義を下支えすることになっていないわけです。

あなたは「情報の分野で成功した人たちは、むしろナイーブな世界観をもっている」

(Big Think, Sept 18, 2018) とおっしゃっています。

スナイダー　つまり「なぜ『ナイーブ』という表現を使って、『悪徳 sinister』という表現を使わなかったのか」という質問ですか（笑）？

確かに初期のころは「ナイーブ」な人たちもいました。インターネットはできるだけ自由にしておいて、広告費で運営するという形でいいと無邪気に考えていたまじめな「リバタリアン（個人的な自由と経済的自由を求める、自由至上主義者）」たちがいたのも確かです。ただ、ある時期を越えたら、たとえば最初の10億ドルを稼いだ後は、もはや無邪気であるとは言えませんね。若いころそのように考えていて、ソーシャル・プラットフォームを立ち上げ、世界で屈指の金持ちになったら、もはや「ナイーブ」とは言えない。その時点ですでに「悪徳」です。「善良さ」を偽った悪徳ですね。あるいは「オプティミスト（楽観主義者）」を装った「悪徳」です。

インターネットの問題としてあなたがあげたことはすべてそのとおりです。インターネットの根本問題は、「透明さ」が必ずしも良いとは限らないという点です。われわれが自由であるためには、自分の一部はプライベートでなければならない。（集団としてではない）

自分自身の夢をもっていなければならないし、自分の行動や性質のパターンは自分のものでなければならないし、人間関係の一部は外から覗いただけでは理解できないようなものでなければならない。

完全な「透明さ」とはすなわち全体主義のことです。全体主義とは、パブリックな部分とプライベートな部分の区別がないという意味です。「自由」が存在するためには、プライベートとパブリックの区別が存在していなければならない。ですから、社会のすべてが「透明になる」というのは恐ろしい予測です。ロシアのどこかにあるマシーンが私の脳の化学変化を分析するというのは、考えただけで恐ろしいシナリオです。でもわれわれは他人のプライベートライフについては興味があるので、このシナリオに乗ってしまう。そうすると結局、自分たちのプライベートライフも、よく考えずに公開してしまうことになる。これが「透明になる」ということが意味するものです。

もう一つあなたがあげた「恐怖」は、重要なポイントです。ソーシャル・プラットフォームは、何がわれわれを不安にさせるのか、何がわれわれに恐怖を感じさせるのかということを探知するのに長けています。しかもそれを使って、ますますわれわれを不安や恐怖に陥れ、インターネットにより多くの時間を使って広告を目にするよう仕向ける。そうなるとわれわれは、ある意味で自分自身のパロディ（滑稽な分身）と化してしまうのです。

私の知っている人たちがそうなってしまったのを、この目で見ています。あなたもおそらくそういう人を身近に知っているでしょう。かなり複雑で深い世界観をもっていた人たちが、ある種の恐怖にからめとられてからは、それがますます重要なことになって、そればかり話題にするようになってしまった。それがインターネットがもたらす影響なのです。

さらに根本的なことを言えば、「インターネットは人間ではない」ということです（笑）。

インターネットはそのほとんどがアルゴリズム、つまりコンピュータ・プログラムなわけですね。そしてこれは誰も言わないけれども、非常に本質的な点なのですが、「インターネットはわれわれのことを親身になって心配していない」ということです。全然、まったく（笑）。

インターネットは、海や宇宙がわれわれのことを心配してなどいないように、まったくもって気にかけていない。子猫や、子犬が画面に現れて、一見親しみやすそうに見えますが、プログラムはわれわれのことなどまったく無関心なわけです。


――確かに非常に興味深い点です。

●インターネットはスパイの温床になる

——では、インターネット上で行われている、サイバー戦争についてはどうですか。アメリカは2016年のサイバー戦争でロシアに完敗したということですが、その原因はテクノロジーと人々の生活の関係が変わったために、ロシアの諜報機関が得意とするいわゆる「積極工作 active measures（さまざまな心理操作やメディア操作により、敵を攪乱・分断・崩壊させることを目的とした諜報活動）」の活動員たちに、大きなアドバンテージを与えることになったからだというものです。でもこのやり方は、アメリカの諜報機関がずっと世界中で行ってきたことではないですか。なぜロシアにとくにアドバンテージがあるとお考えですか。

スナイダー　まず言っておきたいのは、ロシアがアメリカの大統領選挙で勝利したという本を読んだからといって、それでわれわれ（アメリカ人）のほうは無実だと言いたいわけではありません。私自身が最も嫌うものの一つは、「自分たちは何も悪いことはしていない、相手がひどいことをしただけだ」というような「無実」についての主張や議論です。もちろんアメリカも他の国の選挙に干渉してきました。これはひどいことです。どこの国であろうと、他国の選挙に干渉するのは倫理的にやってはいけないことです。だから、アメリカが中南米の国々の選挙に干渉するのは、ひどいことですし、ロシアがアメリカの選挙に干渉するのも、ひどいことです。一市民として、これらは忌避すべきことであると考えています。

こう前置きしたうえで、２０１６年のアメリカ大統領選挙へのロシアの干渉についてですが、特筆すべきなのは、われわれのオープンかつナイーブなインターネットに対する態度というものが、おっしゃったような旧来の諜報活動メカニズムが働くための大きな通路を開いたということです。

「積極工作」という旧来の手法は、まずあなたの心理についてよく研究して、それを今度はあなたを陥れるために利用する、というものです。一見良さそうに見えるけれども、よく考えてみたらあなたにとっては不利なことだったというような結果を招くわけです。

ただこの「積極工作」を、従来のように人間同士の間で実行するのは容易なことではありません。人間同士の関係性を築いて、最終的にはあなたが自分の財布を私に預けるほど信頼するところまでもっていくわけです。あなたが夢にも思わなかったようなことをあなたにさせるようにもっていく。非常に難しいことですね。ところがテクノロジーをもってすれば、これがかなり容易くなるのです。スケールを大きくすることでこれが実行できるようになってしまう。

もし現実世界で「積極工作」をあなたに仕掛けようとするなら、いろいろな周囲の人間関係を巻き込んで、さまざまなシナリオを築き上げなければならないわけで、それらすべてが破綻しないようにもっていくのは至難の業です。

ところが、この「積極工作」の対象が、あなた個人ではなく1億4000万人（フェイスブックを通じてロシアのプロパガンダに接した人の数）以上のアメリカ人ということになると、このスケールの大きさを利用して、これらの人々に働きかけることになります。そうなると、すべての人々を説得する必要はまったくなくて、その中のごく一部の人々を説得して自分たちの望む方向に誘導すればいい。それだけで選挙結果を左右して、自分たちに都合のいい勝利をもたらすことができるのです。

そしてこれは重要な点ですが、その際彼らが私を「信用する」必要などまったくないのです。

従来の「積極工作」の場合、あなたが工作員を信用する必要があります。「あなたに自分の利益に反する行動をとらせる」という最終目的に達するまでのシナリオを、あなたがすべて信用しないことには成り立たないからです。

ところがコンピュータの場合、人々はなぜかコンピュータを信用してしまうんですね。自分で作ったものでもないのに、自分のコンピュータだと思ってしまう。インターネットも自分のものだと勘違いしてしまう。しかも画面上に出てくるウェブサイトは、自分がそれらを選択しているのだと錯覚する。実際には彼ら自身が選択したものではなくて、広告会社や宣伝目的で雇われた人々が、ユーザーの性向や嗜好をフォローして、あらかじめより分けて提供しているのです。

ロシアはフェイスブックを通して、あなたの好みを把握すると同時に、それらを使って人々をある方向に誘導し、社会を攪乱・分断させた。これが実際に起こったことです。

テクノロジーは、悪意をもってわれわれを操作しようとする人々の前に、われわれを容赦なく裸でさらしたのです。今後はこれを教訓として、国家のみならず個人のレベルでも、こういった操作に容易に引っかからないようになることを願っています。

——確かに私たちはインターネットに対して非常にナイーブで、もたらす結果の重要性をあまり考えずに、自分たちを簡単にネット上にオープンにしてしまいます。

スナイダー　そうです。

すべての国は長所と短所を備えているわけで、アメリカはどちらかというと相手をすぐ信用する「高信用社会」ですね。アメリカ人がある領域で素晴らしい能力を発揮するのは、あるレベルの相手をすすんで信用するという性質があるから。ロシアとは異なります。ロシアは相手をなかなか信用しない「低信用社会」です。

アメリカでは、自分とある程度似ている他の人を信用する傾向があって、それがビジネスに役立ってきたのです。ロシアはインターネット上に、アメリカ人が自分たちと似た人たちがいると錯覚するようなサイトをたくさんでっち上げた。もっぱらアメリカ人をターゲットにして、彼らの興味や嗜好に合わせて別々のサイトを用意しました。黒人用のサイト、白人至上主義者用のサイト、南部の人たち用のサイトをそれぞれ作って、彼らが自分たちと似たような人たちとコミュニケーションしているんだと錯覚するように操作した。だから人々はそれらに引っかかったのです。

これはバカだったとしか言いようがありません。アメリカ人にとっていちばん難しいのは、自分たちが騙されたことを正直に認めることです。誤りを犯した、インターネットに騙された、ロシア政府に一杯食わされた、と素直に認めるのが本当に難しい。だからそうする代わりに、これはロシアがやったことではなくて、自分がこれを信用して選んだんだ、というふうに自己納得させようとします。

これはアメリカ人に限ったことではありません。われわれは誰もが、インターネット上で騙された経験をもっているはずです。まずそれを認めることが重要です。

最悪の暴力と「良い不完全」

●市民でなくなった時に、最悪の悲劇が起こる

――ご著書について少し質問させてください。『ブラッドランド』と『ブラックアース』は、これまでのホロコースト観を大きく変えるインパクトをもたらしました。

まず「1933年から1945年の間に、バルト海と黒海の間そしてベルリンとモスクワとの間の地域で、約1400万人の人々が意図的に殺害された」わけですが、ご著書によ

ると、次のような一般に知られていなかった点を指摘されています。
①「反ユダヤ主義」が戦争の主な原因ではなく、食料を確保するために農耕地を求めたことが主理由であって、当時の食料は現在の石油のような重要性をもっていた。
②ホロコーストは、ドイツ国内でドイツ人によって行われたのではなく、むしろドイツ人が侵略する以前にソ連によって大規模な侵略殺害が行われた東ヨーロッパの地域でこそ、主に実行に移された。
③大量殺害は、ソ連のNKVDやドイツのSSによって行われたのみならず、多くの地域住民によって実行された。彼らは自らのサバイバルを懸けて、ドイツのために働く以前はソ連のために働いていた。

これらを踏まえて、なぜある国々ではユダヤ人はほぼ生き残って、別の国々ではその多くが殺されてしまうことになったのか、[*1]お話しいただけますか。

＊1　エストニアでは99％のユダヤ人が殺され、オランダでも75％のユダヤ人が殺されたが、デンマークでは親ナチ政権だったにもかかわらず99％のユダヤ人が生き残り、フランスでも75％のユダヤ人が生き残った。

スナイダー　『ブラッドランド』では、誰がどこで死んだのかを記録しようとしました。「ホロコースト」には地理部分が欠落していましたから、一体どこでユダヤ人たちが死んだのかを検証したわけです。そして、ユダヤ人たちが死んだ地域では、他の人たちも何百万という単位で死んでいった。その背景には理由があるはずだと考えたんですね。

たとえば、ドイツもソ連も（食料確保の目的のために）肥沃なウクライナに大いに関心があった。ウクライナには多くのユダヤ人が住んでいて、ドイツがウクライナに侵攻するには、さらに多くのユダヤ人たちが住んでいたポーランド領地を通る必要があった。

私の論点は、ヒトラーはユダヤ人を最終的な敵として見ていたけれども、実際に戦争を始めるまでは、彼らを殺害するには至らなかった。で、その戦争はウクライナの領地をめぐってのものでした。ですから二つの事柄が同時に起きたことになります。ドイツは食料確保のためにある他国の領地をコントロールしようとしたけれども、その領地にはたまたま多くのユダヤ人が住んでいた。戦争がひどくなっていくに従って、次第に領地のコントロールよりも、ユダヤ人殺害そのものが目的となっていった、ということです。

『ブラックアース』で言いたかったのは、人々を殺害するための条件を整えようとする場合、最初に行われるのは、インスティテューション（国家や組織といった体制）をとり除いてしまうことです。権威主義や国家権力というものは、それだけでは大量殺戮には直接つながらないということを言いたかった。大量殺戮とは、別の国がもっている権力を払拭することで、まず人々を一挙に脆弱（ぜいじゃく）にし、その後で国家権力を行使する形で行われるのです。

これは少し説明がいります。われわれは、強い国家権力はその市民を虐げると思いがちですね。それもそのとおりで、たとえば現在中国は、実際ウイグル人のイスラム教市民を抑圧し、彼らをキャンプに収容していますし、ミャンマーでも、イスラム教市民が抑圧されている。これらは強力な国家権力が、自国市民を抑圧している例です。ですから、そういうことも確かに起こります。

しかし最悪の暴力とは、ある国家が別の国家の領地に侵入していって、その領地そして国家を破壊したうえで行使される時のものです。このやり方がヨーロッパにおける帝国主義の全歴史であり、世界中で行われたことであり、そして東ヨーロッパにおいて展開された暴力の歴史です。ドイツが、ここにはポーランドは存在しない、ソ連も存在しない、だからこの土地にいる人々をどうしようとまったく構わないのだと宣言した、そういう条件がそろった状況で初めて、ユダヤ人の大量殺害が可能になったのです。

ある国はもはや存在しない、とドイツが宣言した地域においてはユダヤ人の大量殺戮が実行されたけれども、ドイツの同盟国では、多くのユダヤ人が生き残った。そういう国が、たとえ権威主義国家や、極右支配国家や、親ナチ国家だったとしても、国家権力が自国の市民を殺害するとなると、これは一挙に難しくなるからです。

つまり、国家がある国によって破壊されると、別の国がその地域を蹂躙してホロコーストを始めることを促進することになる。二度の侵略を受けた地域では、ユダヤ人は非常に高い確率で消滅していった一方、国家が存続していたところに住んでいたユダヤ人は、高い確率で生き残ったのです。

――ヒトラーとスターリンは、両者とも領地と食料を求めて戦争をしていたわけですが、どういった点が大きく異なっていたのでしょうか。

スナイダー　二人は似たところがありました。グローバリゼーションに対処するアイディアというものをもっていた点、一党独裁で国家を運営していくことが可能だと考えていた点、そして両者ともあらゆることを、つまり歴史や時間というものを加速度的に進めようとした点。

違いは、スターリンの敵は資本主義でしたが、ヒトラーは民族ということに焦点を絞っていて、ユダヤ人による陰謀ということを考えていた。とくに30～40年代、スターリンは大きな領域をコントロールしようとしたのに対し、ヒトラーは大きな領域を変えようとしていた。そしてスターリンは自国領の末端部分の人々を殺したけれども、ヒトラーはポーランドとソ連と戦争をしながら、その領域で主に殺戮を行ったわけです。

●「われわれvs彼ら」という対立構図を避けよう

――ナチ党の主要指導者の一人であったヘルマン・ゲーリングは、こう言っています。

「もちろん人々は誰も戦争などしたくはない。しかし、政策決定するのは国の指導者たちなのであって、それが民主主義だろうとファシスト独裁主義だろうと議会制だろうと共産主義独裁だろうとまったく関係なく、人々を（戦争に）同意させるのはいつも簡単なことなのだ。単に、われわれは攻撃されたんだと言いふらし、平和主義者たちを、国に危機をもたらす愛国心を欠いた卑怯者だと言って貶（おとし）めればいいだけのことだ。どの国でもこの方

法は必ずうまくいく」(*Nuremberg Diary*, Gustave Gilbert, 1947)

つまり、人々の「生き残り本能」を刺激すれば、彼らの意見や意志を変えることなど朝飯前だというわけです。確かに9・11後のアメリカで、2003年にイラク戦争を始める際には、この方法が効力を発揮しました。

このような落とし穴に落ちないようにするには、どうしたらいいのでしょうか。

スナイダー　まず初めに、いかなる場合でも「われわれvs彼ら」という対立構図を作る政治のやり方は大いに危険であると、常に意識していることが大事ですね。確かにありとあらゆるシステムでこの(ゲーリングが指摘した)やり方が可能ですが、その効果には差があって、この方法が容易く実行できてしまうシステムと、そうでないシステムがあります。

市民権が弱く、報道機関が脆弱な国ほど、この手法が効果を発揮する。たとえば今日のアメリカでは、トランプ氏は、メキシコや中国への過激発言をすることで、かなり多くの人々を煽動することができますが、すべての人々を動かすことはできないし、明日メキシコを侵略するぞと宣言しても、すぐにそれに対する強力な不支持に突き当たることになります。

ですから、ゲーリングの言っていることはある程度正しいのですが、いつも必ず効力を発揮するとは限りません。肝心なのは、「われわれvs彼ら」という対立思考に代わるものとして、一体どのような考えを人々の中に広めていったらいいのか、という点ですね。これは先ほど話に出た「事実を探求すること」につながります。事実の探求は、「われわれvs彼ら」という単純な対立構図をずっと複雑なものにします。

それと、「ポジティブで倫理的な民主主義」とはどういうものかということを、積極的に考えてみることが大事です。民主主義とは、単にわれわれがもっている制度だというふうにとらえるのではなく、政党や労働組合やさまざまな組織を通じて人々を社会的につなげる制度であるととらえる。そうすることによって、状況は複雑になり、人々が「われわれvs彼ら」という単純な構図をとりにくくするわけです。もしメキシコ人が同じ労働組合や教会のメンバーだったら、それだけですでに、われわれが善いほうで彼らが悪いほうだという「われわれvs彼ら」という区別をするのを少しためらうでしょう。

加えて、権力の分散が重要です。トランプ氏は、もし彼自身が指さすだけで、ある国や地域を侵略することができるのだったら、大喜びでしょう。ホワイトハウスで働く人たちが証言していることですが、トランプ氏は、実際にそうしようとしたことがすでに何度もあるようですね。そうさせないよう彼を説得したと。権力の分散は、大統領でさえそれによって制約されることを意味します。メキシコの例に戻るならば、もしトランプ氏が実際にメキシコを侵略しようとしても、現在の分断した米国議会でさえ、(共和党と民主党が)そろって阻止しようとするでしょうし、他の公的機関も阻止するでしょう。

ゲーリングの言ったことはそのとおりです。これはいつの時代でも起こりうることですし、その傾向はいつの時代にもあります。大事なのは、われわれは、社会が多様性を包容できるようにもっていくことができるのか、社会がプロパガンダに対して懐疑的になるようにもっていくことができるのか、ということですね。

●国家はサイエンスに投資すべきだ

――『ブラックアース』の結論部分で、「ホロコーストを理解することは、おそらく人類存続のための最後のチャンスになるだろう。……国家というものは、将来について冷静に思考するためにサイエンスに投資すべきだ。時間が思考を支え、思考が時間を支える。構造が多様性を支え、多様性が構造を支える」と書かれていますが、「ホロコースト」はどのような新たなレッスン（教訓）を今日の世界に提供できるのでしょうか。また、国家はなぜサイエンスに投資するべきなのか、お話しいただけますか。

スナイダー　あの本は2014年に書いたものですが、未来をわれわれ自身の手でなんとかしなければならないという強い思いがあって、将来、気候変動問題がさらに深刻化して、資源確保をめぐっての競争が激しくなり、食料や水、領地をめぐって、人々の恐怖意識と闘争意識が高まっていって、「われわれvs彼ら」という対立が際立ってくるだろうという危機感がありました。

未来を考えるにあたって、二つのやり方があります。まず、ヒトラーが言ったように未来とは「避けられない闘争」であると考えるのか、それとも「われわれ人間は理性的に世界をとらえて、道具を創造し、それらの道具が時間を生み出すことを可能にする。それによって将来の悪いシナリオを避けることが可能となり、2年、5年、10年、20年という時間がわれわれに与えられ、子どもを作って、その彼らにも未来があるのだと想像することを可能にする」と考えるのか、ということです。

これまであまり注意が払われてこなかったのですが、この本で指摘したかったのは、ヒトラーがサイエンスに反対していたという点です。ヒトラーは「サイエンスが未来を作るというのは、ユダヤ人が生み出した幻想だ。テクノロジーは使えるかもしれないが、それによって『われわれ人間は闘争する存在だ』という原理原則が揺らぐようなことはない」のだと言っていました。

サイエンスは重要です。それは歴史と同じく、原因と結果についての研究で、そこには過去と現在と未来という軸があります。サイエンスは、われわれに未来というものを期待させてくれるから重要なのです。

もしサイエンスを支持するのであれば、そこには原因と結果があると認識することになる。現在の状況には過去の決断の影響があると認めることになり、現在のわれわれの決断が未来に影響を与えるということを認めることになります。サイエンスは多くの事柄の基本です。

現アメリカ大統領と行政府は、サイエンスと人文科学の両方に対して非常に敵対する態度をとっています。人文科学はどこに問題があるかを指摘し、サイエンスがそれをどのようにして解決するかを提示するのですが、現行政府は（問題を解決するどころか）次々と新たな問題を生み出しているというのが現状です。

●民主主義は時間を稼ぐ

――では、その大統領を選出した民主主義についてですが、「最も不完全な民主主義でも、最も完全な独裁主義よりまだはるかにましだ」と言う人もいますが、賛同されますか。

また、「民主主義とは、何度も間違いを犯すことを可能にする制度であり、国家が『時間』を稼ぐためのシステムだ」とおっしゃっていますが、なぜ繰り返しやり直すことができることがそれほど重要なのでしょうか。

スナイダー　これは世界を基本的にどうとらえるかということと関係してきます。

私自身は「完全（パーフェクト）な独裁主義」などありえないと考えます。なぜならパーフェクトな独裁者など存在しないからです。いちばんいい時でも、われわれは誰一人としてパーフェクトではありえない。完全な独裁主義がありえない理由は、世界全体を把握するアイディアというようなものは、決して作りえないからです。そのような完全さはありえない。

われわれに必要なのは、「良い不完全」というものです。あなたも私も、誰もがしばしば間違いを犯すのであって、あなたの倫理観と私のそれとは異なっていて、一致してはいないということを、オープンに言うことができるシステムです。どのようなシステムが、ひどい犠牲を払わずに「不完全」であることを許容できるのか。自分とは倫理観の異なる人たちを踏みつぶすことなく、自分の倫理観を表現できるのか。実はこれらこそ「民主主義」や「多元主義」が可能にしている事柄なのです。

これらのシステムでは、われわれは自分を表現することができて、勝つこともあれば負けることもあるし、自分の倫理観に基づいて投票することはできても、ほとんどの場合、自分の意見を他人に強要することはできません。世界が不完全だからこそ、「民主主義」が良いシステムなのです。

良い民主主義のもとでは、多様性というものが祝福されます。あなたと私とは常に異なる人格をもった人間だという認識、個人主義というものが祝福される。これはいいことです。ある特定の人物があなたや私を完全に代表することはできません。(たとえば国家といった) インスティテューションこそが、多様性を許し、表現の自由を許すのです。だから民主主義が良いシステムなのです。

それから、神でない限り、いかなる独裁者も必ず死にます。そのことだけでも完全な独裁者というものが存在しないことは明白ですね。誰でも必ず老いて死ぬわけだから。そして老いて死ぬ際に、システム全体も道連れにして崩壊させることになります。独裁主義のもとでは、特定の個人そのものがシステムだからです。

民主主義はもっとカジュアルです。民主主義のもとでも、人々は病気になったりして死にますし、選挙に負けたりもする。それでも「手続き」というものが存在していて、その「手続き」が時間を稼ぐのです。そうすることで、たとえリーダーが亡くなっても（選挙によって代わりの人を立てることができるし、人が交替してもシステムそのものは機能しつづけるので）、続けて国家も一緒に崩壊してしまうのではないかと心配して人々がパニックを起こすようなことは避けられます。この点が重要なのです。

――ちょうど種の多様性の増大が、地球を安定化させてその耐性を高めてきたことと似ていますね。

スナイダー　それはいい例です。

暴政を避けるためのレッスン

●忖度による服従をするな

──あなたの『暴政：20世紀の歴史に学ぶ20のレッスン』（2017年）は、とても身につまされ励まされるものでした。たとえば、

「言葉を大切に」は、貧しい言葉が全体主義を招くというジョージ・オーウェルの『1984年』の世界を思い起こさせますし、「真実を大切にせよ」と「よく調べよ」は、嘘を遠ざけて自由を守るためには必須の態度ですし、「職業倫理を忘れるな」と「できうる限り勇気を持て」、いずれも実行するのはそう簡単ではないですが、常に意識していないと、つい不本意なことに引きずられる結果となってしまいます。

で、まず第一にあなたがあげた「忖度による服従をするな」というレッスンについてですが、アメリカの社会心理学者スタンレー・ミルグラム（1933-1984）の実験（235ページ参照）を紹介していました。それによると、人々は、「命令に従うことが、社会をより良くするために自分が果たすべき責任である」と信じた場合、いかに残酷な命令であっ

ても良心の呵責(かしゃく)をまったく感ずることなくそれに従うことができる、と。

そしてご存じのように、ハンナ・アーレントは『エルサレムのアイヒマン』の中で、アイヒマン個人は、「『反ユダヤ人』という考えをまったく持っておらず」「検察側のありとあらゆる努力にもかかわらず、誰の目にも明らかなのは、この男（アイヒマン）は『モンスター』などではまったくないということだ」と言っています。すなわち誰でもアイヒマンになる可能性があるのだと。

私たちには優れた想像力というものが備わっているので、ごく自然に他人が一体何を欲しているのかを知ろうとします。それは幼児や老人や病人の世話をする際には、とても素晴らしい働きをしますが、同時に「忖度による服従」というような行動を生むことにもなってしまうわけです。

一体どうやってこのごく自然な人間の性向というものに抵抗したらいいのでしょうか。

スナイダー　今おっしゃったこととの中にすでに答えがあります。市民であるということは、自分が置かれている状況がどのようなものなのかをしっかりと識別するということです。たとえば街の会合（タウンミーティング）に行くとします。まず会場に入って椅子に座る。

これは誰もがやっていることだから、そうすべきことですね。しかし数人が手をあげて、「町の工場が汚染された廃液を川に流しているけれども、それは許容範囲だ」というような発言をした場合、たとえ大勢の人が許容側であったとしても、「とんでもない、それは許容できない」と、しっかり反対意見を言うべきなのです。重要なのは、椅子に座るという皆と同調した行為と、肝心な時には反対意見を述べるという行為との違いを、はっきり認識するということです。

先ほどの「多様性」の話に戻りますが、たとえば野球を観にいくと、みんなと同じように声援を送りますが、時には他の観衆とはまったく反対の行為をすることもあるわけです（たとえばヤンキー・スタジアムで、並みいるヤンキースファンの中で、レッドソックスを応援するようなもの）。個人として自立するためには、これら両者の違いがわかる必要があります。

それこそがわれわれをして独立した個人たらしめるものです。この違いがわかるためには、繰り返し練習する必要があります。どこで線を引くのかということですが、誰もが同じところで線引きをする必要もありません。でも線を引くことができなければならない。だから第一レッスンが「忖度による服従をするな」ということなのです。

場合によっては、「これは今の私にとって普通（ノーマル）じゃない」と、しっかり言うことができなければならない。すべてのことをノーマルだと許容するのであれば、結果として権威主義を許容することになってしまうからです。

●組織や制度を守れ

――20のレッスンの中で、とてもユニークなものの一つは、「組織や制度を守れ」というものです。この「組織」の中には、いかなるサイズの組織も含まれるのでしょうか。たとえば宗教組織とか結婚なども。

スナイダー　それは面白い点です。私が意味した「組織」とは、政府組織や、さまざまな非政府組織のことです。「ホロコースト」研究から導かれた結論は、これはちょっと保守的に聞こえるかもしれませんが、どんなに不十分な組織であっても、まったくないよりはましだということです。そして、うまく機能していない組織があった場合、それを壊してしまうよりは、改良して使えるようにするほうが望ましい。

たとえば、私自身はアメリカの最高裁判所が下した判決に対して大いに不満をもっていますが、だからといって憲法まで破棄してしまおうとは思わない。一般的に言って、国家の組織は、物事が急激に変わってしまうのを防ぐ役割を果たします。これによって体制が激変しないよう防御すると同時に、個人が孤立してしまうのを防ぐ役割も果たします。

アメリカでは現在人々が選挙に立候補していますが（2018年11月の中間選挙）、立候補することで彼らは「議会制度」を守っているのです。票を集めるために、他の人たちと一緒に活動することになるからです。非政府組織も同じです。労働組合でもボーイスカウトでもローカルな野球チームでも、そしておそらく結婚でも、これらの組織や制度は、人々が一人になってしまうことを防いでくれる。人間はまったく一人になってしまったら、完全に負けです。

アメリカにおける「自由」のコンセプトは誤解を招きやすいところがあります。たとえばよくアメリカ映画に出てくるのは、たった一人のヒーローが最後に世界を救うというようなストーリーで、宇宙からの敵を相手にするにしろ何にしろ、いつもたった一人のヒーローが救済するわけですが、実際には、たった一人になったヒーローは必ず負けてしまうのです。言い換えると、一人にしてしまえばその人を必ず敗北させることができるということでもあります。

組織は、われわれは一緒だということを自覚させてくれます。その中で初めて、個人が一人で何かをするということが可能になる。ですから国家組織と非国家組織の両方ですね。

——宗教組織もですか。

スナイダー　（躊躇（ちゅうちょ）しつつ）一つ以上存在することを許すなら、ですね（笑）。

●相手の目を見て世間話をせよ

——もう一つのユニークなレッスンは、「相手の目を見なさい。そして世間話（スモールトーク）をしなさい」というものです。私たちはどちらかというと「世間話」というのはとるに足らないものだと教わってきましたし、インターネットを通じたコミュニケーションが増えることで、ますます相手の目を見つめる機会が少なくなってきています。なぜ相手の目を見ることと世間話をすることが重要なのでしょうか。

スナイダー　このレッスンについては、ほとんどすべての人が質問してきます（笑）。

おそらくほとんどの人が、これは真実だと直感的にわかっているからでしょう。お互いに相手が人間であることを認識し合うことが大事だと知っているからだと思います。このレッスンの本質はここにあります。

コンピュータと目を見つめ合うことはできません。目線を向けることはできても、見つめ合うことはできない。コンピュータは見つめ返してくれません。動物たちと見つめ合うことはできるし、人間同士見つめ合うこともできます。見つめ合うということは、相手がそこにいることを認識することであり、エレベーターの中でも、バーにいても、誰かが目を見つめたら、必ずわかります。目を見つめられたら、それを無視することは非常に難しい。

なぜこのレッスンを入れたかというと、人々が分裂してしまうことや細分化してしまうことをできるだけ避けたいと思っているからです。現実の世界で実際に他の人たちと直接接触できる貴重な機会があった場合には、それらの人たちと一緒にいるということを実感したい。

目を見つめるというのは、同時に肯定することも意味します。政治が悪いほうに傾いてきて、人々が孤独を感じたり抑圧されていると感じたりする場合、彼らの目を見つめることは、彼らを認識することにつながるわけです。「避けて通る」ことの逆が「目を見つめる」ということになります。

世間話をするのも、相手がリアルな存在だと受け入れることを意味します。現在アメリカでは世間話をするのはとても大事です。なぜなら、重要な話（ビッグトーク）はしにくい状況になっていますから（笑）。

自分とは異なる視点をもった人たちともつながろうとするなら、他のさまざまなトピックについても話ができなければならない。「真実でない事柄」を信じている人たちとコミュニケートするには、まずお互いに人間であると認め合うところから始める必要があります。直截に「真実でない事柄」の部分から話を始めるわけにはいかないからです。

まず、その人たちが大切に思っていること、たとえば天候や食べ物や子どものことといった普通のことを、あなたも大切に思っているんだと伝えます。その後で、彼らとは異なる意見の部分を提示する。それでも彼らは同意するとは限りませんが、少なくともあなたを人間だと認めることになりますし、異なる意見をもった別の人間の存在を認識することになります。

●愛国者（パトリオット）は歓迎するが、国粋主義者（ナショナリスト）は願い下げ

——レッスンの一つは「愛国者であれ」というものですが、オルダス・ハクスリー（1849-1963）は、「愛国心というものの最大の魅力の一つは、自分たち自身は深く善良であると感じながら、相手をいじめたり欺いたりするという、われわれの最悪の欲望を満たすことができるからだ」と言っていますし、バートランド・ラッセル（1872-1970）も、「愛国心というものは、つまらない理由のために殺したり殺されたりする意志のことだ」と言っています。

あなたはどうやってハクスリーとラッセルを説得しますか。

スナイダー　オスカー・ワイルド（1854-1900）も「愛国心とは悪党の最後の砦だ」と言っていますし、リストはまだまだ続きます（笑）。

「原則」の問題と「実践」の問題を考えています。

まず原則について考えてみましょう。自分自身のアイデンティティが自分の外側に向かっていくことによって集団の原則となるわけです。「愛国心」と言った場合、自分の国が

正しいとか誤っている、といったようなことを問題にしているのではないですね。私はある原則というものをもっていて、それは国家の原則でもあるべきだ、というふうに考えるのが「愛国者」です。

アメリカではたとえば「自由」がこの原則に当てはまります。そして愛国者は、個人だけでなく国家もこの原則に従うべきだと考える。この意味での愛国者は、決して満足するということはないですし、「リーダーがやることはなんでもOKで自分はそれに従う」などとも言いません。

アメリカの原則を「自由」だとするなら、愛国者だったら、国旗に対して敬礼をしなければならないと考えるのか、それとも（たとえば大統領の態度に反対して国旗に敬礼しないという態度をとるような）抵抗を示してもいいと考えるのか。もし原則が「自由」ならば、もちろん抵抗してもいいというふうに考えるはずですよね。抵抗することはむしろ歓迎されるべきことになるはずです。愛国者というのは、国をしてある方向に向かわせようと努力する人々のことだと理解しています。

これに対して「国粋主義者」のほうには、あなたがおっしゃった事柄がすべて当てはまります。国粋主義者は、リーダーの言うことにすべて従うことはOKで、これは私の国で、私の国は常に正しく、グループの名のもとに抑圧行為をしても許されると考えるのです。

原則として、万能な人間などいないですし、完全に純粋な人間も存在しません。可能なのは、自分が所属するグループをある共通するスタンダードにもっていこうと努力すること、これが愛国心です。「愛国者であれ」というのは、「国粋主義者にはなるな」という意味でもあります。

「実践」の問題としては、もし人々が自分の国について、つまり実際の政治が行われるところについて、そして愛国心というものについて、語り合うことを躊躇するならば、結果として国に対する良い感情を逆の側（極右側）に利用されることになります。これはまったくの愚策ですね。自分の国に対してなんらかの発言をすることを躊躇していると、極右側にいい口実を与えてしまうことになる。「左側や中道派の連中は自分の国を恥じているんだ」と極右側が主張するのを助けることになってしまいます。

私自身は、自分の国を恥じてはいないし、自分の国を愛していると、ハッキリ言えます。今よりずっとましな国であるべきだとは思いますが（笑）。

そしてそのために政治というものがあるのです。政治とは、「自分の国は瑕疵（かし）のない素晴らしい国だ」と言いまくることじゃない。それは政治ではなく怠慢です。

政治とは、「われわれはこれらの事柄を大事にしているし、この国を愛している。だからこの国にはこれらの良い政策やアイディアを採用してもらいたいし、この国に住むさまざまな人々にとって、そして次の世代にとって、より良い国になっていってもらいたい」というふうに言うことです。これが私がこのレッスンで意図したところです。

●歴史を学ぶことが未来を生み、民主主義を支える

――最後に、歴史を学ぶ重要性についてお話しいただけますか。

スナイダー　われわれには歴史が必要です。なぜならわれわれには「時間」というものが必要だからです。われわれの後ろには、これまで人類が営々と構築してきた大きな遺産があるということを意識する必要があります。われわれはこの瞬間にのみ生きているのではなくて、われわれの存在は海の波のようなものです。海の波がこの瞬間に打ち寄せるのは、それ以前に何千キロメートルにもわたる波の構築があるからですね。この波が打ち寄せるまで、ずーっとその波は続いてきたし、さまざまな周囲の影響があって初めて、この波は

この時この場所で打ち寄せるわけです。

われわれの現在というものは、この波のようなものです。われわれは、何かが起こると驚くわけですが、もし現在というものがこれまでの長い過去の蓄積の上にあると理解すれば、それほど驚くことにはならないでしょう。過去を知れば知るほど、現状に対して冷静に対処することができるようになります。

同時に、われわれには未来が必要だから、歴史が必要なのです。

「歴史の終わり」を宣言することの問題点は、そうすることで「未来の終わり」をも意味してしまうからです。実際に1989年（東欧革命：東欧の共産主義政権崩壊が起こり、アメリカの覇権が現実になった年）以降、西欧では「歴史の終わり」ということが盛んに言われた。やはり選択肢というものはないのだと。そういう見方の問題点は、いったん「過去」について考察することをやめてしまうと、つまり過去が現在とどのようにつながっているのかという流れを感じることができなくなると、「未来」についても考えることができなくなってしまうということです。考えられるのは「現在」だけになってしまう。そして想像できる未来像が貧弱になってしまい、想像できる未来とは、単なる現在の続きとしてのそれだけに限られてしまうのです。

インターネットが良い例です。インターネットの一体どこが未来的なのでしょうか。現在の最も重要なテクノロジーですが、これがもたらしたことといえば、われわれを以前よりやや野蛮にしたということです。

そこには何も未来的な要素がありません。インターネットのことを話題にしている人々は、実際にどのような未来像をわれわれに提供しているのでしょうか。

彼らの描く未来像とは、太平洋に彼らだけのための人工島を作ったり、彼らだけが火星に移住したり、彼らだけが永遠の命を手にすることができたり、核戦争になったら彼らだけニュージーランドの核シェルターに入ることができたりするもので、これらを「未来」と呼ぶことはできません。

歴史を把握しないと、可能な未来像というものが見えなくなります。これはわれわれを圧倒的に貧弱にしてしまう。社会を貧弱にするのみならず、民主主義を困難にしてしまう。民主主義というのは未来に対する「賭け」であるべきだからです。ある候補者やある党に投票するのは、彼らが将来これらの政策を施行してくれる可能性がありそうだし、それは将来われわれにとっていいことだと思うからです。

もし現在にのみとらわれて、未来のことを考えないようになったら、権威主義者が勝利してしまいます。未来がないのであれば、権威主義者たちは、過去にあった脅威に焦点を当てたり現在の感情に焦点を当てることになるからで、「過去」と「現在」だけが政治の対象になったら、権威主義がはびこってしまいます。民主主義が残っていくためには、「未来」への展望がなければならない。

歴史こそが、未来に向かった考察というものを可能にするのです。歴史は、過去にどのような選択肢が可能だったのかを見せてくれますし、時間の流れる方向を示してくれます。未来は明確なものではないですが、少なくともわれわれが影響を及ぼすことのできる「未来」が存在する、ということを実感させてくれるのです。

歴史とは、人々が感じているよりもずっと重要な役割を果たしています。

歴史が重要でなくなることと民主主義の衰退とは強く関連していると思います。原因と結果という関係にあると。

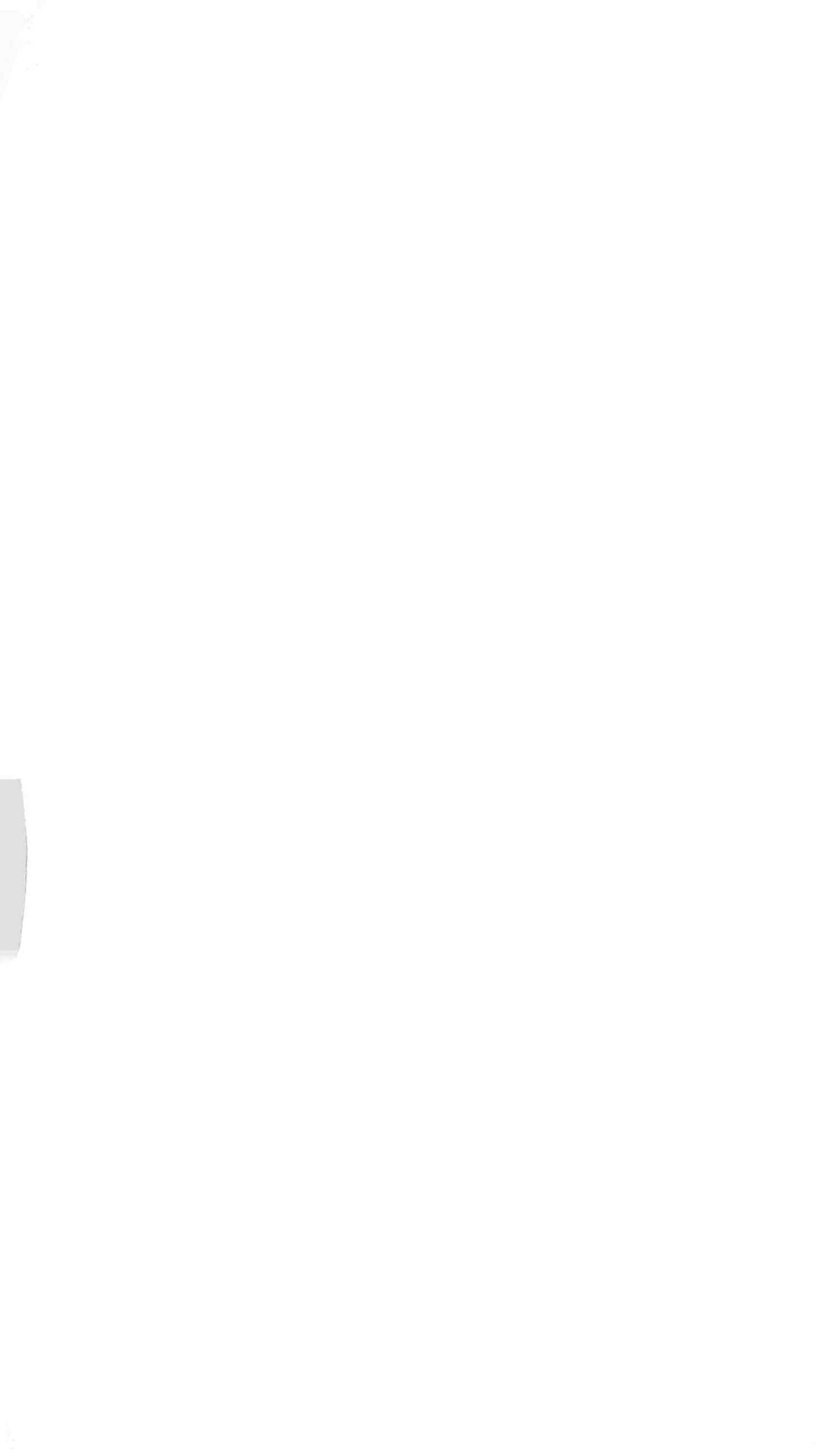

第3章　ダニエル・C・デネット

哲学者／認知科学者

世界は「理解していないけれど能力がある」現象で回っている

Daniel C. Dennett

タフツ大学教授。長年にわたって「意識」や「自由意志」の問題を研究。神経科学や進化生物学にも造詣が深い。著書に『解明される意識』『ダーウィンの危険な思想』『自由は進化する』『心の進化を解明する』など多数。リチャード・ドーキンスと並ぶ「新無神論の4人の騎手」の一人。

photo:Jake Belcher

「社交性がある」とは、すなわち「寛容だ」ということだ。

――ロバート・フロスト

これまで人生について学んだことを3文字でまとめるなら、それは何があっても「つづく」ということだ。

――ロバート・フロスト

テクノロジーの飛躍的な進展によって、人類は急速に巨大かつ複雑なネットシステムを構築しつつあり、世界はより広く繋がり合う一方で、自己防衛のためにより排他的になるという相反する傾向を呈して分裂しつつもある。これから次々と生み出されていく新しいテクノロジーを、一体どのように活用し制御していったらいいのか。急速に変化していく複雑な社会問題に、どのように対処していったらいいのか。かつてないほど科学に裏打ちされた哲学分野の思考が求められているようだ。

デネットは、世界は「理解していないけれど能力がある」という現象で回っていると言う。そもそも進化そのものにしてからが、目的ももたず理解もしていないけれど、鳥の翼や、動物の眼、人間の脳や言語のような驚嘆すべきものを生み出してきている。個々の神経細胞はまったく何も意味を理解していないが、神経細胞の集団である脳は、ありとあらゆる知的、創造的活動を可能にしている。教育だって、訓練と練習が先で、理解は後からついてくればいいと。

人間の「言語」獲得についても、まず人類が声を発するところから始まって、言語の萌芽らしきものを備えた人類のほうが、そうでない人類よりもごくわずかだけサバイバル上有利になることで、言語に関連する遺伝形質が受け継がれていくようになった。そして個体における言語習得については、ノーム・チョムスキーが言うように「人間は生得的な言語獲得器官を備えていて、環境からの不十分な言語刺激から十分な言語能力が開花する」のではなく、むしろ人間に備わっているのは「人間の話し声への突出した興味」と、「環境から受ける膨大な刺激の中から次々とパターンを見つけ出す能力」というようなシンプルなものなのではないかとデネットは言う。そしてもっぱら訓練と練習と試行錯誤によってそれらが特定の言語習得へと収斂(しゅうれん)されていくのではないかと。

インタビューは、ボストン郊外にあるタフツ大学の、日当たりのいい、クラシックな彼のオフィスで行われた。

（2019年1月収録）

科学と哲学の関係

●哲学者がサイエンスの仮説を立てる

――『ダーウィンの危険な思想』（1995年）というご著書の中で、「哲学を取り除いたサイエンスなど存在しない。哲学を無条件で織り込んだサイエンスのみが存在するだけだ」と書いておられます。サイエンスと哲学の関係についてどのようにお考えですか。

デネット　哲学とは、「適切な問題とは何か」ということがわからない時に必要とされるものだと考えています。どの分野のサイエンスにも最先端の問題がたくさんあって、何が適切な問題なのかがまだ明確になっていない場合、研究者は、問題設定を誤ったために一生を無駄にしてしまうことにもなりかねない。とくに、今日われわれが直面している「意識」や「脳」といったホットなトピックは、システムが非常に複雑で、さまざまな混乱や誤った理解が林立しているので、哲学者が真に貢献できる余地がたくさんあります。

哲学者が何かの役に立つことがあるとすれば（笑）、なんといってもくり返し問いかけ批判することで思考を深め、より適切な問題設定をすることに長けているという点でしょう。しかもそれを達成するためのルールやアルゴリズムがあるわけでなく、基本的にはインフォーマルな知的試行錯誤ですが、だからと言って非合理的だということでもない。常に知的な環境の中で、頼りになる指標もなく何も確定していないような状況で、知的試行錯誤を繰り返すことになります。

――哲学が、サイエンスの進む目標を設定するということですか。

デネット　哲学が暫定的な目標を提供して、それをサポートするということです。まずこの地点での研究をしてみてうまくいくかどうか試してみよう。もう一つのはるかなる道は、その後で戻ってくることになるかもしれないが、とりあえずはこちらの地点で観測をしてみよう、といった具合に。荒野でどの方向に進んだらいいのか悩んでいる時にこそ、哲学者の出番です。必ずしもうまくいくとは限らないし、問題となるサイエンスの内容についても知悉(ちしつ)していなければなりません。

――しかしこれは、優れた科学者であればすでに彼ら自身が行っていることではないでしょうか。帰納的なやり方[*1]ではなく、仮説を立てて演繹(えんえき)的な手法[*2]でそれらを検証していく、という。

＊1　まずデータを集めてそこから理論を打ち立てるボトムアップの研究手法。例：昆虫を観察・収集し、そのデータをもとに彼らの生態系について説明する。

＊2　仮説に沿って実験をデザインしてデータを集め、仮説を検証するトップダウンの研究手法。例：DNA二重らせんのモデルを構築し、実験によってその構造が正しいかどうか検証する。

デネット　確かに科学者自身は、常にこれを行っています。しかし彼らは、時としてその仮説の拠りどころとなる基本的な前提を十分に検討しなかったために、誤った方向に仮説を立ててしまうことがあります。優れた科学者でも誤った仮説を立ててしまった例は、枚挙にいとまがありません。ですから、自由に思考の翼を広げることができて、ある特定の仮説に肩入れしていない人が、別の選択肢を考えて提案するというのは、いいことです。

過去に、哲学者がサイエンスの目標設定をして予想結論まで出し、あちらではなく、こちらの道を行くべきだといった「指導」をしたこともありますが、これらはほとんどすべて誤りだった。しかしだからといって、意味のある指標設定や提案をすべきでないということにはなりません。

●サイエンスなしの哲学はもはや存在しない

――あなたは講演やシンポジウムに招かれて、世界中を回っておられますが、哲学への期待に関して、上がっている、変わらない、あるいは下がっている、いずれの印象をもたれますか。

デネット　少なくとも私の分野では確実に上がっています。他の分野も上がっていると思います。サイエンスの力が大きくなってきたために、それに伴う倫理的な問題や、前例のない問題がいろいろ出てきて、この分野に進出していった場合、一体どんな意味があってどんな影響が出るのかといったことを深く考察しなければならなくなってきた。とくに最近の最前線の問題は、「宇宙の誕生」とか「意識とは何か」といった難解なもので、どこに足場を組んだらいいかを見極めるのがとても難しくなってきています。

――一方で、サイエンスなしの哲学というものは存続できますか。

デネット　非常に限られた分野では、サイエンスから独立した哲学研究が可能かもしれませんが、あまり有意義ではないでしょうね。たとえば「倫理学 ethics」の場合、今日最も優れた倫理学分野の研究には、法学や政治システムの歴史も含まれてきます。倫理学はもはやそれ自体が孤立した分野ではなく、社会や共同体の存在についての研究も必須になっているからです。と同時に、神経科学も視野に入れなければならない。サイコパスが社会的責任を負うことが可能かといった問題も含まれてくるからです。

ですから、倫理学のような純粋だと考えられていた分野でも、人間性についての最新の実証結果を考慮せずには、もはや研究は成り立ちません。

意識とは何か

●「意識」はどこに存在するのか

——あなたは「意識 consciousness」の問題について、長年にわたって研究してこられました。ダグラス・R・ホフスタッターとの共著『マインズ・アイ』（1981年）には、「意識」の問題について多くの論者による極めて興味深い論文や物語、エッセイが収められています。たとえばアーノルド・ズボフによる「ある脳の物語」は「もし脳が百万のパーツに分けられていて、それぞれが過不足なくつながり合っていた場合、一体どこに『自己』は存在するのか」という問いかけをしています。

これに対するあなたの答えはどのようなものになりますか。

デネット　同じ本の中で「私はどこにいるのか？」と題して、私はその問いに対する一つの答えを提供しています。身体と脳が分離されて、無線でつながれている状態になった時、「私は一体どこにいるのか」という問いが出てくるわけですが、「私」は私自身が行動するところにいるのです。

「私」は私の脳を保存している水槽の前に立っていて、自分自身の脳に向き合っています。思考自体は、水槽内に置かれた脳の中で起こっているんですが、実際には私自身の目の後ろの両耳の間で思考が起こっているように思える。そこから私自身の「視点」というものが発生するからです。

さまざまな人工身体を使うことで、私自身はいろいろな場所に移動することが可能となり、多様な「視点」を提供することができます。遠隔操作できる人工身体を使うことで、破壊された原子炉の内部に行くことができ、人工の手を使って仕事をすることもできる。私自身がそこに行ったら死んでしまいますが、人工身体を送り込むことで、実際の作業をすることができる。ですから、実際に行動している場所にこそ「私」というものが存在することになります。

――あなたの「私はどこにいるのか?」という作品の中では、脳と身体の分離問題が扱われていますが、ズボフの「ある脳の物語」の中では、「意識」の問題が扱われているように思います。脳を構成している何百億という数の神経細胞の一つ一つは、たいしたことをしていないけれども、それらが集まることによって「私」という「意識」が出てくるわけで、神経細胞を分離・拡散させてつないでいった場合、一体「私」はどこに存在するのかという問題を提起しているのではないでしょうか。

デネット　作者の意図がどうであったかはともかくとして、ホフスタッターと私がズボフの作品からとり上げたのは、「コネクション」の問題です。部分がどこに存在しているのかという「場所」の問題よりも、部分同士のコネクションの「構造」が実は重要問題なんだと。実際には、光のスピードが決まっているので、部分間の距離が大きな意味をもってきます。携帯電話が100倍の大きさだったら、(情報伝達に時間がかかってしまうから)今と同じ速さでは機能しないわけで、小型化することが重要なんですね。同じことが分散された脳にも言えます。働きがそれによってスローダウンすることになりますから。

●人間の脳はシロアリの集団のようなもの

デネット　そもそも人間の脳は、シロアリの集団とそれほど違わないんですね。脳を構成する約860億の神経細胞のそれぞれは、自分が一体何をしているのかまったくわかっていないわけですが、規律ある集団になると、外国語が喋れたり、科学研究ができたり、橋を架けたり、月にロケットを飛ばしたり、絵を描いたりといったように、驚くべきことができてしまいます。

どのようなメカニズムでそうなっているかというと、原則的なことは多少わかってきているものの、実際にどうなっているのかモデルを作るところまでは至っていません。それでもいずれわかるだろうという期待がもてるのは、コンピュータの出現によって、これまで詳細に理解することが不可能だった事柄をも理解できるようになってきているからです。

コンピュータが出現する前は、数百くらいのパーツでできた機械なら、全体像を把握することはなんとかできた。時計とかね。数千でも可能かもしれない。でもそれが何十億ものパーツでできたものになったら、お手上げだったわけです。想像すらできない。でも今は違います。ある意味、（コンピュータによって）人工的に拡大された想像力という道具を手に入れたとも言えます。コンピュータを使えば、何百億、何千億、場合によっては何兆にも上る動き回るパーツを備えた機械の全体とパーツ同士の相互関係を、詳細にキッチリ把握することができるようになってきました。

ですから現在われわれがもっている道具を使って、「創発」された性質や特性、能力、理解力といったものについて、ある種のミステリーや魔法の力というような類の説明を払いのけて、十分に解明することが可能であると考えています。

――すべては部分同士の「関係性」の中に存在するということでしょうか。

デネット　明らかにそうです。脳がどのように機能しているのか、どんどん明らかになってきています。脳のモデル構築に使っているコンピュータとは異なるメカニズムです。コンピュータのメモリー部分と計算操作する部分とは、驚くほどよく似た構造になっている。メモリーとレジスターは、お互いに入れ換えても問題ないような同じ構造で、スピードも同じで、シンクロナイズしている。みごとな考案です。

これに対して、脳はまるで違っています。脳内の神経細胞はある程度独立した存在で、それぞれやっていることが異なるし、必要としていることも異なります。神経細胞群は、まったくの混沌となってしまう可能性だって十分あるのに、大集団としてうまく演算できる仕組みになっている。コンピュータのメカニズムから、脳について学ぶところもありますが、これからは、コンピュータとはまったく異なるパーツを備えている脳が、実際どのように働いているかを解明していくことになります。

●ロボットは奴隷であるべき

――『マインズ・アイ』には、テレル・ミーダナーによる「動物マークⅢの魂」という物語も収められています。その中で著者は「もし昆虫ロボットが、血のような液体を流しながら悲哀を込めて命乞いをした場合、果たしてそのロボットをハンマーで叩きつぶすことができるか」と問いかけます。これはわれわれの「共感力 empathy」と「人工意識 machine consciousness」の問題についての問いかけでもあります。

ロボットが、模倣でない本物の「意識」というものをもつことが可能だとお考えですか。

デネット　原則的には本格的な「意識」をもったロボットを作ることは可能でしょう。ただ、現在のロボティックスに携わる人たちが考えているよりも、はるかに難しいし、信じられないほど複雑ですが、原則的には可能だ。ただ、それを作る必要性はありません。しかも、火星に移住するのとは比較にならないほど、コストがかかります。そんな膨大なコストを払ってまで作る必要はないですね。

すでに、「意識」を備えた素晴らしいエージェント（人類）が無数存在しています（笑）。新たに別の種類の「意識」を備えた存在を生み出す必要はないですね。それでも「意識」を備えたロボットを作ることに意味があると考えている人たちもいます。いちばん気になるのは、「老人介護」への適用を理由にしている場合です。

（先進国では）老年人口が急速に増加してきているので、今後何百万という老人たちが、生きていくための基本的ニーズをまかなうだけで、多くの世話を必要とするようになるでしょう。これは、若い人たちにとってそれほど好ましい仕事ではないので、人道的観点から、人間の介護士にとって代われるような有能なロボットを開発する動機が十分あります。

この場合、本物の意識をシミュレートした「疑似意識」をもったロボットの開発が、注目されてくるわけです。「疑似意識」つまり偽（にせ）の意識は、本物の意識よりもはるかに簡単に作ることができるので、多くの抱きしめたくなるような愛すべきエージェント（ロボット）が生まれることになるだろうし、本物とそれらを区別できないナイーブな人たちもたくさん出てくるでしょう。

でもこれらは偽物です。そしてまさに偽物であることが重要なのです。人間とは異なる素材でできているから偽物だというのではなく、人間のもっている深い動機や欲求や脆弱さというものをもっていないからです。

――それはアドバンテージにもなりますね。

デネット　アドバンテージと考えることもできますね。私のもと教え子で、ジョアナ・ブライソンが『ロボットは奴隷であるべきだ』（*Robots Should Be Slaves*, 2009）という論文を書いていまして、無意識であれば、奴隷でも何も問題がないという考え方です。掃除機とかね（笑）。「意識」をもたせないことで、分解しても、20年間タンスに入れたままにしていても、廃棄処分しても、何も問題ないし、出して使えばそれは役に立つ。それらに対しては、人間に対するのとは異なる認識をもつ必要があるわけです。

私の尊敬するアラン・チューリング（1912－1954）はコンピュータの生みの親ですが、『計算する機械と知性』（*Computing Machinery and Intelligence*, Mind, October, 1950）と題する有名な論文の中で、「機械は思考できるか」と問いかけました。ただ一つ残念な間違いをしていると思います。それは、（コンピュータの能力をテストするための）チューリング・テストを考案して、「（カーテンの裏に置かれた）コンピュータを、人間だと、被検者に勘違いさせること」をテストの目標の一つに設定したんですね。これによって、擬人化ということに大きな重きが置かれるようになった。

これは彼の言うとおり確かに難しい仕事です。これによって人工知能（ＡＩ）の技術的な主要目標が、「チューリングテストに合格する」というものになったのです。そうなると、本物の「意識」をもったロボットを生み出す前に、「疑似意識」をもった何千種類ものロボットが誕生することになります。

――チューリングテストに合格したロボットたちですね。

デネット　「シンプルな」チューリングテストに合格したロボットですね。それらはいろいろ大きな問題を生み出すことになります。

●「理解していないけれど能力がある」ことの重要性

――それに関連して、ご著書『心の進化を解明する』(2017年)の中で、「自然選択というものは、『理解していないけれど能力がある』生物を生み出す」と言っています。もう少し説明していただけますか。

デネット　これは現在、われわれの思考を大転換させるような最重要問題であると考えています。

チューリングとダーウィンは、一般的な認識とは相反するような、「理解していないけれど能力がある」という現象が存在することを示しました。「自然選択」は、単に「能力がある」ものだけでなく、「驚くほど高い能力がある」ものを生み出してきた。ワシの翼や、自然の美というものですね。しかもこれほど素晴らしい自然の創造性は、知能の高い創造者によって生み出されたのではなく、「理解せずに進むプロセス」によってもたらされたのです。思考力のない、動機をもたない、洞察力のないプロセス、これがすなわち「理解していないけれど能力がある」という現象です。

チューリングは、「代数学について何も理解していなくとも、人間のどの数学者よりも完璧な計算ができるコンピュータを作ることができる」と言いましたが、この「理解していないけれど能力がある」というのは、多くの人々にとってなかなか受け入れられない、クレイジーな、しかし非常に基本的な洞察なのです。一度これに気がつくと、周囲を見回して、「理解していないけれど、あるいは最小限の理解しかしていないけれど、能力がある」という状態をあらゆるところに見つけることができます。

人間社会のエレガントな特徴の一つである「言語」をとってみても、実にみごとによくできたものですが、デザイナーは存在しません。しかし「言語」の研究をすればするほど、「言語」というものが非常に効率よく素晴らしくできていて、人間の脳の能力と欠陥とをうまく利用して、理解しやすくかつ記憶によく残るような仕組みになっていることに驚かされます。

「言語」を使って人々はコミュニケートし、お互いに理解し合うことができると言われていますが、それにもまして優れているのは、「言語」が「理解を伴わないコミュニケーション」さえ可能にするという点です。「言語」はデジタルですから、理解しなくともオウム返しをすることができる。何千年にもわたって、この特性は利用されてきました。僧侶たちは、プラトンやアリストテレスの言葉を、元本が年月を経ると劣化破損してしまうため、何百年にもわたって書き写す作業を引き継いできたのですが、書写する内容をまったく理解しなくとも、その作業をすることができた。それは「言語」がデジタルシステムだからです。何人もの僧侶たちが集まった部屋で、リーダーがテキストを読み上げると、ペンを持った僧侶たちが一斉にそれを書き出す。その際、内容を理解する必要はなく、むしろ理解していないほうが都合がよかった。理解していると、つい「訂正・変更」を入れたくなりますから。

ですから、誰かがデザインしたのでもなく、ごく最近までその価値が十分に理解されているとは言えなかった「言語」というものは、素晴らしい情報の伝達媒体であり、「理解していないけれど能力がある」現象の良い例です。実際、われわれの日常生活に伴う行動の多くは、なぜそうするといいのか、理解している必要がないことばかりなのです。

●ミミズにも「意識」はあるのか

――チャールズ・ダーウィンは、生涯にわたってミミズの研究に勤しみ、晩年になって『ミミズと土』（1881年）を著しています。彼は感覚をもたないシンプルな生物と感覚をもつ複雑な生物との間には、ルビコン川は存在しない、つまり生物の意識は連続している（どこかで突然意識というものが芽生えたのではない）と考えていました。賛同されますか。

デネット　賛成します。急激なカーブを伴った連続ではありますが。

――では、もし連続しているのだとするなら、シンプルな生物はすでに「意識」をもっているのか、はたまた複雑な生物も「意識」をもっていないことになるのか。

デネット　それはとてもいい質問です。その質問の前提に対してチャレンジすることができますから。つまり「意識は一つだ」という前提ですね。

「意識」は一つではなく、非常にたくさんの事柄が一緒になったものと考えています。「意識」の部分的な特徴は、バクテリアや、貝類、樹木、アリなどにも見られるけれども、ではそれらには「意識」があるかというと、まあないですね。進化の系統樹を上っていくに従って、われわれ人類がもっているような素晴らしい「意識」の特性のあれこれを備えた種が出てくるわけです。ですからありとあらゆる能力とは別に、「意識」というものが特別に存在すると考えるのは、誤りです。

それは、「生気論 vitalism（生物には無生物にはない特別なエネルギーが存在しているという考え）」が今日では誤りだと考えられているのと同様の誤りです。無機物からどうやって生物を生み出すのか。生命は最初から宿っているのか。違いますよね。水素原子や酸素原子は「生きている」とは言えない。DNA分子だって単に非周期的な分子配列にすぎません。モータータンパク質（化学エネルギーを運動に変える役割を担い、筋肉収斂などを起こす）のような大きな分子も同様です。
　では、一体どこから生命は始まるのか。ウィルスは「生きている」と言えるのか。これは質問してもしかたがないことです。進化の系統樹を上るに従って、さまざまな能力が加わり、あるところから「貝は生きている」とか「バクテリアは生きている」と明確に言えるようになる。それ以下については、生きていると言えるかどうか怪しいし、突き詰めても意味がないことです。
「生命」とは、「生きているものがもっている何か特別な輝く特性で、死ぬと消えてしまうもの」ではないですね。「意識」についても同じことが言えます。「意識」とは、さまざまな能力に付随する何かではなく、「さまざまな能力によってできている何か」なのです。

――「意識」はイリュージョン（幻想）だとお考えですか。

デネット　私は「生命」をイリュージョンだとは言いません。従って「意識」もイリュージョンだとは言いません。「意識」をもった存在がもっているさまざまな能力の上に、「意識」という非常に特別なものが存在していると考えることこそがイリュージョンです。生命も同じです。

ロボットは生きているか。生きていませんね。では将来生きた存在になれるのか。もし、ロボット自身が自己修復したり自己増殖したりすることができるようになったら、そして、自身が存在していくためのエネルギーを自己獲得できるようになったら、彼らを「生きている」と呼ぶことができるでしょう。

●「自由意志」とはセルフコントロールのこと

――「自由意志」についてはどうですか。

デネット　まさに「自由意志」こそが、これらすべての議論の中心に位置する問題です！

これは多くの人々が最も悩み、非常に重要であるということを骨の髄から感じている問題でもある。これについては、過去数千年にわたって、誤った理解というものがついて回りました。「自由意志」は「決定論」と「非決定論（自由意志論）」とにリンクしていると考えられてきた。「自由」は、何ものによってももたらされることはない（自由はない）か、あるいは「自己」というあいまいなものによってもたらされる、などと議論してきたわけです。「自由」であるためには、脳内にマジカルな存在を必要とするといった、途方もないアイディアを考えたりとかね。

「自由意志」をよく理解するためには、「因果性 causation」(原因と結果とが関連している)と「制御 control」との区別をしっかり認識する必要があります。「制御」は非常に重要です。たとえば葉が風に吹かれてひらひらと舞い落ちている場合、この葉には「自由意志」は存在するか。しませんね。風に吹かれて動いているだけです。何かが葉を制御しているのか。何も制御していませんね。風が吹いて葉の舞う方向を変えているけれども、この状態は「制御」ではない。

ドローン機をコントローラーで制御している場合、コントローラーの電源を切ったら、ドローン機は木の葉のような状態になって、風のような周囲の力に動かされることはあっても、その動きを制御することはできません。この二つの例には「因果性」は存在しますが、「制御」は片方にしか存在しません。この場合はリモート制御になりますね。

ドローン機をあなたが操縦士としてコントロールしている構図を思い浮かべてください。これを私は「デカルト劇場」[*1]と呼んでいますが、そこではホムンクルス(想像上の小人)

が脳内で身体を操縦していることになります。これは昔からある間違った視点です。「自由意志」というものを理解するためには、ドローン機のコントロール装置やフィードバック装置をすべてドローン機内に押し込んで、ドローン機を自律すなわちセルフコントロールできる存在にすることを想像してみてください。このセルフコントロールこそが、「自由意志」の本質です。これによって「因果性」が失われるわけではなく、フィードバックが違いを生み、それがまた違いを生むというようにして、「因果性」が延々つながり合うことになります。

人々は、「もし『決定論』が正しいなら、われわれは『操り人形』のような存在ではないのか」と言うわけですが、われわれはどちらかと言えば、「糸を自ら動かしている操り人形」ですね。人形が自分の糸を操っていたら、それは自律人形となります。

＊1　デカルトは、人間は心と身体の二要素から成っていて（心身二元論）、「意識」は、脳内にある松果体という部位を通して心と身体が繋がることで発生する、と考えた。脳についての研究が進んで二元論が否定されてから、脳内に「意識」を司る特別な部位が存在すると考える「デカルト唯物主義」が出てきた。それは、脳内にホムンクルスのような小人がいて、感覚器官から入ってきた情報を脳内の劇場に映し出すことで

「意識」を生み出し、判断を下すというような発想。その際、脳内の「意識」を司る部位以外の活動は、すべて無意識に行われているとする。この考え方を批判してデネットは、皮肉を込めて「デカルト劇場」と呼んだ（デネット著『解明される意識』1991年）。

――それが可能になるのは、神経細胞の数が多くなった場合ですね。

デネット　圧倒的に複雑な存在だけが、意味のある「自由意志」をもつことができます。自動運転車を考えてみましょう。われわれは、本当の意味での自動運転車などは作りたくないわけです。車に行く先を告げても、車自体がそこへ行きたくなかったら行かないで、かわりに砂漠にキャンプに行ってしまうとかね。完全自動運転車は、役に立たないし、不安定だし、危険でもある。原則的には作れるでしょうが、まったくお勧めできません。

人間はほぼ完全に自律した存在です。だから制御できないけれども、それは良いことです。実際われわれには、「他人の操り人形にならないようにしなければならない」という責任がある。支配しようとする人たちから、どのようにして身を守るかということを、子どもたちにわざわざ教えるわけです。それに成功すると、「自由意志」をもったエージェントに育って、操り人形ではなく、自分の糸を自分で操作するような、自律人間になります。「自由意志」にはマジックやミラクルは必要がない。「自律」こそが重要なのです。

●脳内で「意識」を特定できるのか

――フランシス・クリック（DNA二重らせん構造解析に成功して、1962年ノーベル生理学・医学賞受賞。後に脳科学を研究。1916-2004）やクリストフ・コッホ（神経科学者、とくに「意識」の研究）は、神経系疾患者やネズミの脳を研究することで、「意識」を司る部位ないし意識のメカニズムを探ろうとしています。彼らのアプローチについてどのように見ておられますか。

デネット クリックやコッホは、いい研究をしていますが、「意識」とはどのようなものかというモデルを構築するにあたって、一体何をモデル化しようとしているのかがハッキリしていなかったし、やや問題を単純化しすぎたきらいがあります。「意識」に相当する神経細胞群を同定しようとする研究には、問題設定や研究の方向設定に哲学が大いに貢献することができるはずです。

「意識に相関した脳活動NCC（Neural Correlates of Consciousness：特定の「意識的知覚」を生み出す最小限の神経細胞群の活動。クリックとコッホが提唱）」と「新種形成BCS（Biological Conditions for Speciation）」を比べてみたいと思います。ある会合で「生物種の形成」を研究している生物学者と話をしました。それでわかったのは、どのようなサインや条件があったら新たな種が誕生したとみなせるのか、分子や原子がどのような状態になったら新種が誕生したと言えるのか、というようなことを同定しようとしても、それは不可能だということです。種とは何千世代も経ってから初めて分離誕生するものだから。

ちょっと想像してみましょう。インド洋に浮かぶアンダマン諸島の住人は人類です。カナダのマニトバ州チャーチルに住んでいるイヌイットたちも人類です。おそらく両者に共通する祖先は約4万年以前までさかのぼるでしょう。つまり、人類の中では随分と乖離（かいり）した種族になります。それでも同じ人類ですから、両者の間で交接することができる。ところが、来年世界的な疫病が流行して、アンダマン諸島の住人とチャーチルの住人を除いて、全人類が死滅したと仮定します。その後何千年も経って、それぞれが人口を増やしていって、ある時これら二つの人類がどこかで出会ったとする。ところがそのころまでには両者は別の種に進化していて、交接することができない状態になっていた。つまり2種類のヒト科の動物に分かれていたということです。

では、いつごろ種分かれして新種（現在の人類）が誕生したのか。農業が始まる前、書き文字が出てくる前、4万年前ごろなのか、それとも、それからまた1000年経ったころなのか。タイムマシーンでそのころに戻って詳しく観察したら、新種誕生の瞬間をとらえることができるのか。違いますね。そういう瞬間は存在しないのです。

まったく同じことが「意識」についても言えます。「意識」が実際に起こった瞬間をとらえることはできない。それをできると考えるのは誤りでしょう。

――では、どのようなアプローチを提案されますか。

デネット　一つエピソードを話したいと思います。実際にあったことです。以前ラホヤ（カリフォルニア州ラホヤ市にある、クリックが在籍していたソーク研究所のこと）で有名な「お茶の時間」（クリックが他の科学者たちと自由に意見交換する午後のティータイム）にクリックと会った際、この問題について問いただしたんです。

ペトリ皿の上で培養していた神経細胞について、彼が、これらは脳内では「赤色」信号を出す神経細胞だと説明しました。それに対して私は、「フランシス、これらの4つの神経細胞を刺激したら、『赤色』についての『意識』というものが出てくるんですか」と尋ねたんですね。このペトリ皿の中に「赤色の意識」というものが存在するのかと。彼は、苦虫を噛みつぶしたように、「ウーン、そうだろう」と言ったんです。

「意識に相関した脳活動NCC」の考え方は、典型的な「背理法 reductio ad absurdum」[*1] だと思いますね。「赤色の意識」というものはシステム上に存在するものであって、あのペトリ皿の上には、「赤色の意識」もなければ「民主主義への称賛」というものも存在していないのです。

＊1　ある前提が誤った結論を導くことを指摘することで、その前提そのものが誤っていることを示す方法。古典的な例は、ガリレオの証明。ガリレオは「空気抵抗を除けば、重いものも軽いものも同じ速さで落下する」と提唱した。それを証明するために彼が使ったのは次のような話。「『空気抵抗を除いても、重いものは軽いものより早く落ちる』というのが正しいと仮定しよう。もし重い石Aと軽い石Bを紐でつないだ場合、

軽い石Bは重い石Aより遅く落ちるはずだから、BはAの落下を抑える形になるので、つながれた石ABの落下は、重い石Aが単独で落下した場合より遅くなるはずだ。

しかし同時に、つながれた石ABは、単独の石Aより重くなるので、つながれた石ABのほうが、単独の石Aよりも早く落ちることになるはず。つまり、つながれた石ABは単独の石Aより遅く落ちると同時に早く落ちることにもなって、ここに矛盾が生じてしまう。従って、『空気抵抗を除いても、重いものは軽いものより早く落ちる』という前提は誤りだということになる」

●「ハードプロブレム」

――では、クオリア（意識的ないし主観的に、感じたり体験したりする、色や痛みや興奮といったさまざまな質感のこと）という概念についてはどのように見ておられますか。主観的な「赤色」という認識問題ですが。

デネット　もちろん色認識や、匂い、痛みなど、さまざまな主観的認識というものは存在します。これらもシステム上に存在するものです。脳のある部位に偏在するものではないし、活動している一部の神経細胞群がもっている特性でもない。これは活動している神経細胞群が「相互影響」し合うことに伴って発生するものです。ですから「相互影響」の部分を取り除いてしまったら、これらの認識も消えてしまいます。

これは「意識についての難しい問題(ハードプロブレム)」(脳内で起こっている化学・物理現象と、クオリアとして認識される現象との間にある、まだ説明できない溝のこと)と呼ばれています。

たとえば「赤色用の神経細胞」があったとして、「赤」「赤」「赤」と信号を出しているとしましょう。その後どうなるのか。この「赤色」信号を受信する存在が必要になってきます。それも一つではなく、たくさんの受信細胞が必要になる。これらの受信細胞はその信号を使って一体何をするのか。(信号を別の部位に伝達したり制御したりといった)実にさまざまなことをします。「赤色用の神経細胞」を取り巻くこれらたくさんの神経細胞群という環境があってこそ、「赤色用の神経細胞」は意味をもってくるし、その後で初めて、「赤色認識」という概念が出現するのです。ですから個別に取り出した神経細胞に「赤色認識」が存在し、それを観察できる、というようなものではないのです。

——システム全体の関係性を見なければならないということですね。

デネット　そうです。これらはシステム全体が関与した特性です。

宗教と進化

●宗教の衰退

——では宗教についてお伺いしたいと思います。バートランド・ラッセル（イギリスの数学者であり哲学者。1872-1970）は、「宗教とは、われわれの知性が黎明期にあったころの残滓(ざんし)であって、われわれが理性とサイエンスをガイドラインとして採用するようになれば消滅する」と言っています。ジェームズ・ワトソンは「ダーウィンが入ってきて、神は出ていった」と言います。

あなたは宗教をどのように定義されますか。また宗教はどこから来たのでしょうか。

デネット　ラッセルもワトソンも基本的に正しいですね。ダーウィンのアイディアは、神を信ずる唯一の正当な理由、すなわち「創造説」というものの足を一挙に掬ってしまった。創造者がいなくとも、どのようにして「理解していないけれど能力がある」状態を生み出すことができるのかを示すことによってですね。文化的な進化も含めて、世界中のさまざまな現象がいかにして「自然選択」によって形成されてきたかが明確になってくると、創造神への信仰は滑稽に見えてきます。

世界を見渡してみると、この認識が次第に浸透してきているようで、宗教への信仰をもたない人たちの数が急速に増えてきています。私が宗教について書いた『解明される宗教』を出したのが2006年ですが、そのころすでに、「（イスラム過激派の台頭など）今起こっているのは、宗教復興などではなく、宗教の最後のあがきを見ているのだ」と書きました。科学と技術と文化の拡大が起こることによって、長年慣れ親しんだ宗教が消滅してしまうかもしれないという強い不安と痛みから、人々は時として暴挙に出ることもあるでしょう。

信仰者を育てるには21年かかるけれど、その人を無宗教に変えるには30分で十分だったりしますから。宗教者たちはこの現象について大いに心配しています。信仰者の数はどんどん減っていますし、とくに若い人たちは信仰に乗ってこない。ある意味、宗教者は同情されるべき存在かもしれない。このような状況になるとは予想もしていなかったし、一生かけて培ってきたものが、強制的に奪い去られるのではなく、波が打ち寄せるような形で、ひたひたとおだやかに浸食されていく。宗教的な考え方の土台となっている部分が浸食されるのです。

ぎくしゃくして痛みを伴うこともあるけれど、壁が崩壊しつつあるのはいいことです。

●「家庭（ホーム）」とは、そこに行ったら必ず受け入れてくれるところ

デネット　では、一体何が宗教の代わりとなるかというのは、非常に難しい問題です。他の無宗教の友人たちと少し違って、私は宗教がもたらしてきた良い面というものも評価しています。宗教は人生の意味やコミュニティや愛情というものを提供してきました。他の手段では「愛」を受け取ることができない人たちにも、愛を提供してきた。

優れたアメリカの詩人ロバート・フロスト（１８７４‐１９６３）は作品（「雇われ農夫の死」）の中で、「家庭（ホーム）とは、そこに行ったら、必ず受け入れてくれるところ」と表現しています。多くの人たちに家庭はありません。かわりに宗教は、そこに行ったら必ず受け入れてくれ

る場所でした。何か役割や仕事を振り分けてくれ、人生に意味をもたらしてくれた。そのコミュニティに加わることができ、コミュニティのメンバーとして尊重された。これは素晴らしいことです。政府はこれを提供できないし、忙しい個人主義的な人たちもこれを提供できませんから、コミュニティが提供しなければならない。この部分は今後もぜひとも強くなっていってほしいです。

ただその際に、宗教に本質的に組み込まれている不合理というものを取り除いた形でそうなってほしい。宗教の扉を叩いたら理性を外して不合理に浸る、ということなしにそうなってほしい。不合理に浸るのは危険だし、コミュニティとしてサポートを提供するうえで、必要ではないと思います。

●人間の本質は部族主義

――ポーランド出身の心理学者アンリ・タジフェル（1919－1982）は「ミニマル・グループ・パラダイム」を提唱しました。すなわち、人々はグループに分けられた途端に、自分たちのグループの利益を最大にすべく、自己グループメンバーをえこひいきするような行動を示すことがわかっています。それがたとえば、コイントスなどによるまったく恣意的なグループ分けだったとしても起こる。

ですから、「部族主義」というものは、かなり深く根ざしているようです。「部族主義」が宗教のもとになっているのでしょうか。

デネット 可能性はあります。そうでないことを願いますが（笑）。

進化論学者たちは「協力する」という特質や「コミュニティ」の進化について研究してきていて、明らかになったことの一つは、安定した持続力のあるコミュニティには、入口と出口についての非常に厳しいルールがあるということです。中に入ると（秘密が少なく）かなり透明でありうるけれども、外国人嫌いで、しかもコミュニティからの離脱を厳しく罰する。高い入会コストと退会コストがかかる。これは宗教だけでなくマフィア組織にも当てはまります（笑）。ひょっとするとこの傾向は、個体成長やメタボリズム（新陳代謝）といった自然のメカニズムと同じで、避けて通れないものなのかもしれない。しっかりと安定したコミュニティで外国人嫌いのない例はないのかもしれない。これは世界中の紛争地帯の問題にもつながっていきます。

この問題をとり上げてくれてよかったです。現在の非常に込み入ったさまざまな世界的難問題は、共通する数学的なモデルやパターンを抽出することによって、それらの問題に対する理解を深めることができるかもしれないと考えるからです。今後100〜1000年にわたって社会を継続させようとするなら、その社会はある程度外国人嫌いの傾向があることを認めなければならないでしょう。ちょうどバクテリアが異物嫌いであるように。生物は、自己と他者をハッキリと区別することによって、存続し続けることができるわけで、同様に人間社会も、喜んで受け入れられる人たちとそうでない者とを区別しているということになるのでしょう。

言語の獲得について

●言語の出現と「ミーム」進化——チョムスキーは間違っている

——ノーム・チョムスキー（言語学者）やヴィラヤヌル・ラマチャンドラン（神経科学者）は、「約7万5000年前に人類は、『大躍進 great leap forward』と呼ばれる偶然の発見をかなり短期間に成し遂げて、①火、②道具、③住まい、④言語、⑤他の人の心を読む能力、というものを手に入れた」（*The Neurons that Shaped Civilization*, TED, 2009）と言うわけです。そしてこれらの発見は、急速に人口に膾炙（かいしゃ）し、子孫にも次々と伝えられていった、と。これについてはどのように見ておられますか。

また、言語は人類に固有の生得的な能力だ、というチョムスキーの見解についてはどのようにお考えですか。

デネット　進化の過程で、比較的短期間に大躍進があったことについては、異論の余地はないでしょう。地球に生命が誕生してから、人類がこの地球を占領するまでに至ったことは、「カンブリア紀の生命大爆発」（約5億5000万年前に、アンモナイトなど肉眼で見える多細胞生物が次々と爆発的に出現した）よりも大きな出来事です。「テクノロジー」と「社会グループ」と「言語」によってそれが実現したことは明白で、どれが先だったのか。言語は、他人の心を読む能力より以前に出てきたのか、社会性は宗教より前に出てきたのか、宗教は、健全な世俗主義が出てくるまで、社会をまとめるために必要な力として働いてきたのか、といったさまざまな議論を呼び起こします。いずれにしても、劇的な変化があったことは明らかです。

これに対する私の説明は、ちょうど真核生物が出てきた場合と同じように、「霊長類の一種」と「言語」、ひいてはアイディアとの共生が起こって、文化の進化、つまりリチャード・ドーキンスが言う「ミームの進化」というものが起こった、というものです。ドーキンスが提唱した「ミーム」とは、文化を形成する基本要素となるもので、生物における遺伝子と同じように働き、文化の中で模倣されコピーされていく。「言語」はミームの良い例で、この「大躍進」の立役者は言語です。

「言語」がどのようにして生まれてきたのかという問題については、議論百出で、私も持論がありますが、チョムスキーの言う遺伝子上の大変化だという説は、完全に間違っていると思います。もっとゆっくりとした過程を経て誕生してきたと考えるべきでしょう。ざっくり言うと、まずわれわれの祖先が、なんらかの理由で声を発するというところから始まって、それが次第に言語に発展していった。言語のような形になってからも、しばらくの間人類は、喋っている音が何を意味するのか見当もつかなかったし、言語が何であるかなんてまったくわからなかった。今日の人類よりはるかに習得に時間がかかったでしょう。そしてこれを習得することができた人類は、進化上有利になり、選択されて子孫を残すようになった。つまり言語獲得という文化的なイノベーションの結果、言語操作に関与する遺伝子が脳内に受け継がれていくようになったのでしょう。

ここには、「文化的な伝達」と「遺伝的な伝達」との共進化が見られます。このような「共進化」が起こることは、すでにわかっていて、有名な例は「乳糖への耐性」(乳製品に入っている乳糖[ラクトース]を消化する能力)です。酪農自体は、遺伝子に組み込まれたものでもなんでもなく、文化的に生み出されたものですが、現在大人になった人間が生のミルクを消化する能力はすでに遺伝子に組み込まれています。これは何世紀にもわたる酪農に反応して(「乳糖耐性」を備えていたほうがわずかに生存に有利だったために選択されて)出てきた遺伝的変化ですね。遺伝子は、文化よりもはるかにゆっくりと進化するのです。

――文化が遺伝子に影響を与えるということですね。

デネット　そうです。いったん「言語」が生まれると、それがさらなる影響を与えます。

●人間は「言語獲得器官」をもって生まれてくるのか

――「言語」は人類に特異的な、生得的なものだという点についてはいかがですか。

デネット　確かに生得的な面もありますが、チョムスキーの言うような「言語獲得器官」があるわけではないでしょう。むしろ短期間で言語習得をすることが有利に働くから、それに関与している部分が選択されて残ってきて生得的な性質となったと考えられます。

シンプルな例を言いますと、10年くらい前に、人間の神経幹細胞、つまり分裂して人間の脳細胞となる幹細胞を、チンパンジーの胎児に「異種移植 xenotransplantation」するという提案がありました。子宮内にいる胎児に人間の神経幹細胞を移植する、つまり人間の脳細胞をもったチンパンジーを生み出そうとするもので、これはいいアイディアでしょうか。違いますね。私はその提案の検討委員の一人だったのですが、正当な理由がないということで、幸いにもこの科学実験は無期延期になりました。

なぜこれがいいアイディアではなかったのか。ちょっとチンパンジーのことを考えてみましょう。現在何千匹ものチンパンジーが、動物園や研究室といった人間の保護下で一生を過ごしています。誕生してから現在まで、彼らは人間の子どもたちと同じくらい人間の言語環境にさらされています。でも彼らはまったく人間の言語に興味を示さない。木の葉が風に揺れる音に似て、人間の話し声に彼らの注意を向けさせるには、大変な努力が必要になります。話し声の中には、膨大な情報が入っているので、もしチンパンジーが話すことができたら、彼らにとって大変有益でしょう。みんな逃げ出すことだってできてしまう。人間の神経幹細胞がチンパンジーの脳で変化を起こす部分というのが、実は「人間の話し声に対する興味を増大させる」ということだったらどうでしょうか。

人間の赤ちゃんは、話し声に異常なほど興味を示します。子宮内にいる時からすでに話し声に惹きつけられていて、生まれる前からお母さんの声を何カ月も聞いているのです。もしチンパンジーが、人間の赤ちゃんと同じくらい人間の話し声に強い興味を示すような認識力をもつと、成長したら話をすることができるようになるのかもしれない。それくらいシンプルな話なのかもしれない。人間の言語に関与している遺伝子上の特徴というのは、ひょっとするとこの「話し声に対する好奇心」だけなのかもしれないのです。それ以外については、社会環境が提供してくれるからです。

チョムスキーも、人間が英語や中国語や日本語を話すようになるのは、その人がいる環境からの刺激によると言っているわけです。環境からの多くの調整を受けて、特定の言語を話すようになると。ですから、ひょっとすると、最初の「言語への強い興味」という部分を除くと、それ以外はすべて環境からの刺激によって決まっているかもしれないのです。

——ただしチョムスキーは、（言語器官が脳に内在しているので）環境からは限られた刺激しか受けなくとも、十分な言語能力が獲得できるようになっていると言っていますが。

デネット　それは「刺激の貧困 poverty of the stimulus」議論ですね。現在でもかなりポピュラーですが、疑わしいです。

ディープラーニング（多層の神経ネットワークを用いた機械学習の手法で、これによってコンピュータが囲碁の世界チャンピオンを倒すことも可能となった）研究が進んだおかげで、神経細胞ネットワークの力というものについて、かなりのことがわかってきました。人間の脳は、膨大なデータからパターンを抽出することに非常に長けています。しかも理解しなくともできる。またもや「理解していないけれど能力がある」という状態ですね。パターンを理解する必要はなくて、パターンを見つけられさえすればいいのです。

チョムスキー派が、言語パターンというものはこのような方法（子どもたちが、感覚器官を通じて入手する話し声のデータから、パターンを次々と見つけていくことで、言語を獲得する）では見つけられないのだ、ということを証明しない限り、「生得的な器官として言語能力というものが備わって生まれてくる」とは言えないことになります。グーグル翻訳がある程度の部分的な成功を収めていることは、チョムスキーへの反証になりますね。グーグル翻訳は、こういったパターンを見つけることで成り立っているから。しかも意味がまったくわかっていない。わかる必要がないからです。ならば、人間の幼児も同じことをしている可能性が十分ありますね。

ホモサピエンスの未来――テクノロジーの不都合な真実

●「秘密」は大事だ

――情報テクノロジー分野の人々は、テクノロジーが個人の力を強くしてより分散型の社会をもたらすことによって、世界はより安全に透明になり、民主主義が強くサポートされるようになると言っています。さらに、より多くの人々がソーシャルネットワークを使うようになればなるほど、世界中の人々がつながって、恐怖や偏見、差別といったことから解放される、つまり「部族主義」から解放されることになると言うわけです。
しかし実際には、インターネットは個人によってではなく、少数の情報寡占大企業やプラットフォーム企業によって支配されていますし、人々がインターネットでつながっても、スケールアップした「部族主義」はしっかりと残っているように見えます。インターネットはどのような影響を人類にもたらしてきているのでしょうか。

デネット インターネットは非常に大きな影響力をもっています。デブ・ロイ（メディア科学者）と一緒に『サイエンティフィック・アメリカン』誌に、「新しい透明性」について書きました（*How Digital Transparency Became a Force of Nature*, March 1, 2015）[*1]。
エレクトロニック・メディアによってもたらされた「新しい透明性」は、インターネットだけでなく、ラジオや、電話、テレビ、コンピュータなどを含めて、これまでになかったまったく新しい知識環境というものを生み出しました。軍隊、宗教団体、企業、銀行、大学、労働組合、政府といった、ありとあらゆる組織や団体は、新しい透明なメディアに対応しなければならなくなった。情報漏れが続出し、誰でも基本的にはなんでも見ることができて、秘密を守ることが非常に難しくなった。

世界は「秘密」を守ることで存続してきたわけで、「秘密」はとても大事です。「秘密」を守れなければ、すぐに誰かの餌食(えじき)になってしまう。直接的には、肉食動物に捕まったら一巻の終わりですが、国家間や、政府、都市、スポーツチームといった、間接的な競争にも当てはまります。このようにして進化上の激しい競争というものは戦われてきたわけです。今後はどのような展開になるのか、想像がつきません。

われわれは個人として、これまでになく強くなったと同時に、弱くもなった。強くなったのは、必要な世界中の情報に、ほぼアクセスできるようになったから。弱くなったのは、同時に自分たちの個人情報もすべて公開されることになったから。誰もが裸で歩いているようなもので、秘密が露呈されてしまうのです。

＊1　論文の骨子：新しいメディアがもたらす、われわれの組織や団体へのインパクトは非常に大きい。これまで組織は、ローカルで見通しの悪い知的環境のもとに進化してきたが、これからは白日のもとにさらされて、それにうまく対応できなければ、絶滅してしまう。生きている細胞は、細胞膜によって外界の苦難から身を守っているが、人間の組織も、内部と公的な外部との間に防御用のインターフェイスを設けることが必要になる。

●情報は誰がコントロールしているのか

デネット　問題は、一体誰がコントロールしているのかということです。あなたは情報寡占大企業がコントロールしていると言いますが、彼らにはもはやコントロールできないのです。21世紀のテクノロジーの不都合な真実は、それが生命体のような形になってきているということです。われわれはもはや、自分で作っているものをコントロールすることができなくなりつつある。ちょうど、成長した自分たちの子どもを、もはやコントロールすることができないのと同様です（笑）。彼らは自己管理する存在で、もはや彼らを操り人形のように扱うことはできません。

数年前、ＢＴグループ（旧社名ブリティッシュ・テレコムと呼ばれるイギリスの大手電気通信事業会社）主催のロボット工学ワークショップに参加しましたが、なぜＢＴグループはロボット工学にそれほど興味があるのか。ＢＴは、長年かけて巨大で複雑なシステムを作り上げましたが、一体それがどのように機能しているのか十分把握できないところまできてしまった。巨大な象に乗って、あたかもそれをコントロールしているように見せていても、巨象は意図した方向には進まないので、なんとかして手綱を強化したいと思っている。だから、人工知能にそれができるかもしれないということで、期待をかけているわけです。インターネット上に住むスーパーインテリジェントな存在が、交通整理や情報収集活動をしてくれるのではないかと。とんでもない。こんなことをやってのけるシステムは、もはや誰にも作れませんね。

——われわれは日々情報の洪水に見舞われていて、何ごともあっという間に消費され、過ぎ去ってしまって、何も残らないように見受けられます。われわれは思考する時間も言語もスキルも失いつつあるのでしょうか。

デネット　そうは思いません。18世紀には、時間が限られているから読み切れないほど「本がたくさんある」ということを人々は盛んに嘆いていました。それ以前にこういった問題があったかどうかはわかりませんが、少なくとも近代科学の初期から情報過多に埋もれてしまうという問題は存在してきました。

——しかし現在われわれが受け取っている情報の量は、以前とは比べものにならないほど指数関数的に多くなっているのではないですか。

デネット　確かにそうですが、「情報量」というものをどのように測るかという問題もあります。ビット量として測るのか、意味の単位を使って測るのかという。単にどれほどのビット量があるかということだったら、10分間のバッグス・バニーのアニメーションの情報量は、ブリタニカ百科事典全体よりも多いわけです。ネット上で人気のある犬や猫の動画はメガバイトレベルのビット量ですが、「意味のある情報」はほとんど入っていませんね。

問題は、これほどの量の情報を保管するために必要なコストとエネルギーが非常に高くなっているので、どこかでターニングポイントがあるはずです。「ムーアの法則」（インテル社創業者ゴードン・ムーアが1965年に指摘した「コンピュータは2年ごとに性能が約2倍に、価格は約2分の1になる」という、テクノロジーの飛躍的発達の法則）はいつまでも続くわけではないし、今後は情報破棄のコストのほうを考える必要が出てくるでしょうね。おそらく非常にたくさんの情報を破棄することになるでしょう。何を保管して何を破棄するかという、図書館が抱えている問題は、今後われわれが直面する問題の炭鉱のカナリア（危険を知らせる前兆）です。一口に破棄すると言っても、ハードディスクを消すという単純なものではなくなってきていますから、大仕事になります。

●「進化」は人間の知恵よりはるかに優れている

——未来学者や歴史学者たちの一部は、われわれは100〜200年後には、自らを崩壊させてしまうか、もしくはテクノロジーを使って、高度な知能を備えたほぼ無機的な「ポストヒューマン」に進化していくだろうと予測しています。過去40億年かけて生物は「自然選択」によって進化してきて、われわれはずっと有機的な身体に閉じ込められてきたけれども、これからはAIと融合することによって、人類の誕生以来初めて「人為選択」、つまり新たな「創造説 intelligent design」によって進化していくことができるようになるだろうと。このビジョンに賛同されますか。

デネット　まったく賛同できません。とくに、テクノロジーが発達することによって、「自然選択」は排除され、「(新たな) 創造説」によって進化していくというところですね。「創造説」は絶望的です。フランシス・クリックが(進化生物学者レスリー・オーゲルの第二法則として）「進化はあなたよりずっと優れている」と言ったのはよく知られていますが、人々はデザインをする際に、トップダウンの「創造説」型ですべてをデザインするのではなく、「自然選択」の方法を使うようになってきています。

その良い例は、カリフォルニア工科大学（Caltech）のフランシス・アーノルドが2018年にノーベル化学賞を受賞しましたが、「自然選択」の方法を使って、まったく新しいタンパク質の生成に成功しました。一からタンパク質をデザインするのではなく、いくつものタンパク質を作って、それらを互いに競争させ、その中からいちばん目的に適応したものを選択するというやり方を採った。そのほうがずっと簡単だったのです。作物の品種改良ならぬ、タンパク質の品種改良ですね。その成果でノーベル賞を受賞し、受賞スピーチの中で、拙著『ダーウィンの危険な思想』が彼女のインスピレーションになったと謝辞を述べてくれました。

ちょっと自慢してしまいましたが（笑）、私が強調したいポイントは、「（自然選択による）進化」ではなく「創造説」的やり方でこれからの諸問題を解決するというのは、とくに目先のことしか見えていない近視眼的な考え方だということです。システムは、人々がチームを組んで取りかかっても解明できないほど、非常に複雑になってきていて、もはや誰一人として、全体を理解することはできない。分割して、それぞれが部分的にしか把握できないし、それですらチームを組んで分散してことに当たるしかない。希望はあるけれども、一体われわれが何を作りつつあるのか、大きなチームを編成して手分けして探り出すよりほかに方法はないでしょう。

人生の意味と教育、そして将来の展望

●意味の存在しない世界に意味を生み出す

——もしあるとすれば、人生の意味はなんだとお考えですか。

デネット　一つ以上ありますね。たくさんあります。人生の意味は一つだという考え方は、生命は一つであるとか、「意識」は一つだというのと同じで、一つに昇華できると考えるのは誤りです。神から授けられた意味づけがなければ意味がないと考えるのも、神が存在しなければ、すなわち宇宙の最終目的の存在なしには、何も意味をもたないと考えるのも、

誤りであり偏見です。

下から湧き上がってくる意味は、上から滴り落ちる意味と同じくらい重要でしょう。もともと意味の存在しない世界に、われわれ自身が意味を生み出すのは、素晴らしいことではないですか。われわれ自身の他に、意味を生み出すことのできる素晴らしい存在はありません。集団としての人間が生み出す意味のことを指しています。

人間の集団は、それ自体がありとあらゆる有益な特性を備えたもので、集団のメンバーに役立つようなさまざまな貴重な意味を生み出していきます。この素晴らしき世界に貢献するために、そしてそれをさらに良くしていくために、ひとりひとり一体何ができるかというと、実にたくさんのことができるのです。木を植えたり、がんを治したり、隣の人を手伝ったり、近所の食料品店を営んだりなど、この素晴らしい惑星に貢献できることは限りなくあります。自分がいる場所で、どんなことでもできることをしたらいい。

●子どもを孤立させるのは残酷だ

——それに関連して、「社会性」というものは人間にとって非常に大事だと思いますが、たとえばスウェーデンのような先進国では、1970年代に「個人の独立」というものが大いに推進されました。女性の男性からの独立、子どもたちの親からの独立、個人の教会やチャリティからの独立といった具合に、個人同士で相互依存するよりも、個人の世話を国家に委ねて、国家が独立した個人を支えるという考え方です。その結果現在では、一人で住む人たちが50%にも上ると言いますし、そのうち4分の1は孤独死する。

今後われわれが、コミュニティでまとまるよりも、個人で独立するようになっていく傾向を心配すべきなのでしょうか。

デネット それは非常に興味深い質問です。両方の立場にメリットというものがあって、どちらが正しいとも言えないからです。個人が独立して自由に生活することが不可能なほど政府の統制が厳しく、小さなグループの中でお互いに生き延びるために強い相互依存をすることがただ一つの希望であって、グループから排除されたら即それは死を意味する、といったような状況も考えられますが、それらは果たして良い状況と言えるのか。人類史上長い間、世界はそのような状態にあったわけです。

人類は明らかに、他の人たちと交わって仲間を求めるように進化してきました。健康な人間であるためには、言語をもち、社会生活を営むことが必要で、社会生活を奪って孤立させるように子どもを育てるのは、恐ろしく残酷なことです。われわれは確かに社会的な存在ですが、この社会性がどのように表現されることが望ましいのか。最もバランスのとれたやり方は何か。テクノロジーはそれにどのようにかかわってくるのか。

すでに、好ましい影響が見てとれます。女性はもはや人生の中盤をほぼ妊娠状態で過ごすというようなことがなくなったし、男性と女性が同じような役割を果たすことができるような方向に向かっています。子どもができない夫婦でも養子を迎えることで、社会性を経験することができる。これらはみな良くなってきたことですね。われわれはそのように進化してきたし、これからも進化していくわけです。当然ながら副作用として、さまざまな問題も出てきます。たとえば体重が増えてあまり動かなくなったとか。たとえそういう副作用があっても、優れた医療の恩恵を受けられる社会に生きていたほうがいいですね。そうでなければ私など今ごろ生きていませんから（笑）。

●教育において大事なことは実習、実務

——教育において最も重要な要素はなんだとお考えですか。

デネット　私の答えにちょっと驚くかもしれません。「理解していないけれど能力がある」ということの重要さを認識すべきだと思います。ある意味、昔のやり方に戻るべきです。子どもたちは算数がよくできて、掛け算の九九がしっかり頭に入っていて、計算が速く正確で、読み方・綴り方、作文がしっかり身についているようにする。それには絶えざる練習と訓練が必要です。能力を高めるという目的のために、「理解」ということに重きが置かれすぎてきた。実際は真逆なのです。

指摘しておきたいのは、教育指導の専門家を探すなら、軍隊を見てみなさいと。毎年軍隊は、平均的知能を備えた若者たちを入隊させます。能力はありますが、その多くはとくに優秀というわけでもない。そして彼らを訓練によって、みごとなレーダー技士や、ジェットエンジン整備士や、パイロットや、ナビゲーター（航空士）や、設備専門家など、ありとあらゆる専門家に育て上げる。一体どうやって成し遂げるのか。もっぱらボトムアッ

プ型の訓練と練習です。これによって理解はその後についてくるということを、彼らは身をもってよくわかっています。まず理論から始めるようなことはしない。とにかく実習、実務から始めるのです。それでうまくいく。

●「信頼」を崩壊させないことが民主主義を支える

――最近あなたが最もエキサイトしていることと、心配していることはなんでしょうか。

デネット　「意識」と「自由意志」についての最新の研究に最もエキサイトしています。両者がどのように関連し合っているか、ですね。「難しい問題」に答えるために、どのような思考実験をしていったらいいのか。各々の神経細胞がどのように信号を入力／処理していくことで、意識をもった個人というものが出てくるのかということについて、コンピュータ上でデザイン実験する。こうしてエンジニアの視点から問題に対する答えを探そうとすれば、ある程度目的を達することができるでしょう。

しかし今度はそこで立ち止まって全体を再考し、「進化は、目標なしにここまで到達した」ということを振り返ってみる必要があります。まったく無知な神経細胞が集団になることで、組織化することで脳を作り、一体どのようにして思考や学習というものを可能にしたのか。これらが「意識」問題を解決する大きなカギとなるでしょう。

最も心配しているのは、「法の支配」や「民主主義」というものが、われわれが考えていたよりはるかに脆弱だということです。現在の世界情勢は、極めて危ない状況にあると心配しています。勇気と誠実さをもって現状を把握できる人たちが、この危機状態から脱する方向に世界を牽引してくれることを願っています。本当に危険な状況にあると思います。

――ファシズムが再び台頭してくるということでしょうか。

デネット　そうです。グローバリゼーションの弱点と、独裁主義・権威主義への傾斜、そして「法の支配」への軽視というものが大いに問題です。不本意ながらも、最近はニュースから目を離せなくなりました。本当に危険だと思うからです。

――なんらかの対処法はありますか。

デネット　あります。「信頼」という点について、ボトムアップの思考法を身につけることです。信頼はどのようにして築き上げられ、どのように維持されていくのかをしっかり確認するべきです。

軍拡競争や進化上の競争と同じく、常に攻撃のほうが防衛よりも簡単で、「信頼」を破壊するほうが、築き上げて維持するよりずっと簡単です。新聞は、どれほどファクトチェックを重ねて、真実に忠実に責任をもって模範的な紙面作りをしていても、「信頼できない」という単なるうわさを広めることによって、新聞が築き上げてきた「信頼」は脆くも崩れてしまうことになる。これは大いなるリスクです。世界全体を覆う神経細胞システムを作り上げると同時に、それは「信頼」を崩壊させるようなテクノロジーにもなりうるということです。

第4章　スティーブン・ピンカー

認知心理学者

なぜ人類の暴力は減ってきたのか

Steven Pinker

ハーバード大学教授。著書に『言語を生み出す本能』『人間の本性を考える』『暴力の人類史』『21世紀の啓蒙――理性、科学、ヒューマニズム、進歩』など。世界的な知識人としての活躍も目覚ましい。

photo:Jake Belcher

愚か者は自分を賢者だと思い込むが、賢者は自身が愚かであることを知っている。

――ウィリアム・シェイクスピア（『お気に召すまま』）

18世紀の啓蒙主義思想家イマヌエル・カント（1724-1804）はその著書『啓蒙とは何か』（1784年）の中で「啓蒙とは、自分に課した未熟さから抜け出すことだ」と言い、「あえて知ろうとせよ（Sapere aude：サペレ・アウデ）」と読者を鼓舞した。そして未熟さとは、理解力が足らないために起こるのではなく、自分自身の理性や知性や判断力を使う勇気がないから起こるのだと。真実を知るには勇気がいる。人々が自分で思考する力と勇気をもたない限り、革命を起こして権威主義政権を倒しても、それは単に思考力をもたない大衆を支配する新たな権威主義と入れ替わるだけのことで終わってしまう、とも。

聖書には「心を込めて主を信頼し、自分自身の理解に頼るな。いかなる時も主に服従すれば、主が道を正してくれるだろう」（箴言3：5-6）とある。論語にも、「民は由らしむべし、知らしむべからず」とあって、民を従わせることは可能だが、道理を理解させることは難しいということで、どちらも人間の理解力を信頼していないことがわかる。

これに対して、カントは人間の能力というものに対して楽観的で、未熟さを抜け出せば、まともな理解力と判断力を備えることができるのだと考えていた。そうでなければ、人間に自由を与える意味も失われてしまうわけで、この考え方は、サイエンスの基盤であり、民主主義国家の基本でもある。

スティーブン・ピンカーは「理性」を中心とする人類の叡智、とくに集団的叡智というものに信頼を置いている。その誠実な受け答えからは、よって立つことができる基盤となる考え方がいくつも見つかる。たとえば、なぜ世界が悪い方向に向かっていると人々が勘違いしてしまうのかについては、

——ニュースはそもそも「事件」をカバーして「傾向（トレンド）」をカバーしない。毎日ニュースで報道される内容は、その時点における世界の最悪事態についてであるから、世界は日々刻々悪いほうに向かっているという印象を受けてしまい、すべての改善についてはまったく目に触れないことになってしまう、と。

人々の意識や知能が高くなり、一時の過激な明白さよりも、複雑で不完全な中庸（ミーデン・アガン Meden agan）の重要さが、あらためて認識される時代になってきたのかもしれないと感じるような、思わずポジティブな気持ちにさせられるインタビューだった。

インタビューは、ハーバード大学心理学部があるウィリアム・ジェームズ・ホールの、素晴らしく見晴らしのいい彼のオフィスで行われた。（2019年9月収録）

暴力と国家

●人間の本性の変化ではなく、体制の変化が暴力を減らしてきた

――『暴力の人類史』（2011年）の中では、膨大な資料をもとに、どのようにして暴力が減ってきて、ありとあらゆる面で人類はいかにみごとな発展を遂げてきたのかが、詳らかにされています。暴力減退の理由として、①国家の形成、②テクノロジーの発達、③交易によって、他の人々は殺してしまうより生かしておいたほうが有益になったこと、そして④人間の「共感」領域の拡大をあげておられます。

世界がいかにしてそのような進展を遂げたのかについて、もう少しお話しいただけますか。また、なぜ人類が素晴らしく進歩してきたことを殊更に発表する必要があると思われたのでしょうか。

ピンカー　『暴力の人類史』と『21世紀の啓蒙』（2018年）を書くことで、なぜ人類が成し遂げてきた進歩について発表しようと思ったのかというと、二つ理由があります。

まず一つは歴史上のデータですね。野蛮な慣習である奴隷制や人身供犠は廃止されました。さらに統計的に見ても、殺人の割合は確実に下がってきていますし、戦争の数、専制君主や専制権力の割合、児童虐待なども、確実に下がっています。あらゆることが良い方向に変化してきていることは、明白な事実です。暴力だけではありません。他のさまざまな人間の生存条件も向上してきました。寿命も、昔は30歳くらいだったものが、現在の世界平均は70歳を超えています。日本のような豊かな国では80歳を超えている。教育に関しても、20年ほど前は世界の識字率は15％くらいしかなかったのですが、今は80％を超えています。これらは事実です。事実ですが、多くの人が知らないんですね。

「殺人の割合は、上がってきていると思うか、下がってきていると思うか」と尋ねると、ほとんどの人が「上がってきている」と答えますが、間違いです。下がってきている。戦争の数はどうか。これもほとんどの人は「上がっている」と答えますが、事実は「下がっている」。ですから、ほとんどの人たちが知らない「暴力や人間のさまざまな苦難が減ってきている」という事実を、まず伝えようと考えたわけです。

次に、私は科学者で人間のマインドがどのように働くのかということに興味がありますから、「一体これはどうやって可能になったのか」という疑問が生じたわけです。人間の本性は変わっていないわけですから。

人間の本性にはたくさんの面があります。本性の一部には、「支配」「復讐」「攻撃性」といった邪悪な面も確かに存在する。しかしマインドは実に複雑にできていて、それだけではないですね。「共感力」や、欲望を抑える「自己制御能力」、まともな人は何をすべきで何をすべきでないのかを判断する「道徳力」、そして「理性」「合理性」「問題解決能力」、解決策を共有したり問題解決に向けて協力するために必要な「言語」などももち合わせているのです。つまるところ歴史上の出来事とは、人間が本質的に抱えるこれらの性質がどのようなバランスでどのように発現されたのか、ということに尽きるわけです。ですから、「一体これはどうやって可能になったのか」という問いは、「われわれの理性的で思いやりのある面が、利己的で近視眼的な偏見に満ちた面を凌駕することができるのか」という問いでもあることになります。

それに対する私の答えは、「平均すればそれは十分可能だ」というものです。コンスタントにそれができるわけではないですが、できる場合とそうでない場合が上下しながら、全体としては改善の方向に進んでいく。民主主義、法廷、法の支配、国連などの国際機関、報道の自由、大学といった既存の体制がそれに大いに寄与しますが、加えて、エイブラハム・リンカーン（1809-1865）が言った「われわれの内にあるより良い面」が引き出されるように、組織や体制を新たに生み出していくことも可能だからです。ですから、人間の本質が変化してきたわけではなくて、組織や体制が、われわれの本性を、暴力を抑える方向に推し進めてきたということです。

――人類史上、人類の本質はまったく変化していないのでしょうか。

ピンカー　生物学的な進化にはスピードリミットがあって、何十年、何百年といった単位ではまったく変化が起こりません。ダーウィンの自然選択説は、ある特質を備えた種は、それをもっていない種よりも子孫を残す可能性が高くなり、何千何万という世代を経て種自体に変化が起こるというものです。私が提示している人間の性質の変化とは、それに比べてはるかに急速に起こった事柄を指しています。

日本はそのいい例です。日本はそう遠くない過去には世界有数の軍事的な文化をもつ国でしたが、現在は世界有数の平和的文化の国に変化しています。苦い経験の後、ほとんど瞬間的と言ってもいいくらいの速さでこの変化が起こっています。現在の日本人、アメリカ人、フランス人は、100年前のそれらの国の人々と生物学的にはなんら変わっていないのですが、文化が変わったわけです。

●核兵器の危険性は抑止力を凌駕する

——2019年のストックホルム国際平和研究所(Stockholm International Peace Research Institute)の発表によりますと、世界には1万3860を超える核兵器があるということです。[*1] 世界から戦争の数は減ってきているかもしれないけれども、蓄積された核兵器の脅威というものは、いまだかつてないほど逼迫(ひっぱく)しています。核兵器の脅威を考慮に入れても、世界から暴力が減ってきていると言えるのでしょうか。

＊1　国別核兵器の数:ロシア6490、アメリカ6185、フランス300、中国290、イギリス215、パキスタン150以上、インド130以上、イスラエル80~90、北

ピンカー　実際そう言えますよね。広島・長崎以降、核兵器は使われていませんから。でも核兵器が使われる危険性はあります。危険性を考慮に入れた場合、われわれの暴力が増えているとも減っているとも言いにくい。二つのことが言えます。戦争で死ぬ人の数は減っている。しかしもし戦争になったら、これまでよりずっと多くの人が死ぬだろう。これら二つは、両方とも真実の可能性があります。核戦争になる可能性は非常に低いとはいえ、もし起こったら、破滅的ですから。

――「核抑止」とは本当に有効な概念なのでしょうか。

ピンカー　第二次世界大戦後74年間、有効でしたね。ただ非常にリスクの高いやり方です。個人的には、世界は核兵器を完全に廃棄する方向を目指すべきだと考えています。核戦争の可能性が極めて低くとも、もし一度でも起こったら破滅してしまうので、その可能性を避けるべきです。もちろん簡単ではない。ロシアもアメリカも、実際逆方向に向かっていますから。トランプとプーチン以前には、廃棄の方向に向かう可能性もありました。バラク・オバマは核兵器の完全廃棄に向かう方策を提唱してノーベル平和賞を受賞しています。

おそらく段階的な手法が必要ですね。まず、「核兵器を先に使わない」と誓約する。核兵器で攻撃された場合のみ核兵器を使用することが許されるとする。ですから、完全廃棄に一挙にジャンプするのではなく、「われわれは核兵器で先制攻撃することはないけれども、もし攻撃されたら、核兵器で反撃する」と。これではもちろん十分とは言えませんが、現状よりはマシです。現状では、アメリカもロシアも核兵器で先制攻撃することが基本的には可能ですから、非常に危険です。この他にも漸進的な手法を重ねることで、全体としては核の脅威を下げる方向に向かうのが望ましい。私の人生の範囲内でそれが可能になるとは思いませんが、若い人たちの人生の範囲内では可能でしょう。プーチンやトランプが示す方向に向かわなければ、ですが。

――「核抑止」の問題は、実際に核兵器をもっている国々が、「抑止」ではなく「攻撃」を目的としている点ではないでしょうか。「抑止」が目的ならば、イランの核開発は中東平和目的のためにむしろ歓迎すべきだということになりますが。

ピンカー　確かにそのとおりです。

1945年以降、戦争の数が少なくなっているのは、誰もが大戦になると核戦争に発展することを恐れているからだと言う人もいます。その恐怖から、非核戦争であっても、戦争を始めることに躊躇するようになってきたと。核兵器にノーベル平和賞を、とさえ言う人もいるくらいで。

（この意見に）私はまったく賛成しません。いろいろな理由があります。まずこれは戦争が減少していることの説明として、それほど説得力がありません。核兵器をもっていない国も、戦争の数が減ってきていますから。カナダとスペインは、両国とも核兵器を保有していませんが、25年ほど前に漁業で紛争に発展しました。もしこれが100年前だったら、確実に戦争になっていたでしょう。でも両国は戦争を始めなかった。この場合、核兵器は関係ありませんね。

また、核兵器はあまりにも破壊力が大きいので、脅威が空振りになっている可能性もあります。少なくとも現在までは核のタブーがあって、核兵器はたとえ小さなものでも使えない状況になってきている。ですから非核保有国は、核保有国が核兵器を使わないことを前提として、それらの国に挑戦することが可能です。たとえば１９８２年、アルゼンチンはイギリスからフォークランド諸島奪還を謀った。イギリスは核保有国でアルゼンチンは非核保有国ですが、アルゼンチンは、イギリスがブエノスアイレスに核爆弾を落とすことはないと確信していたわけです。同様に、エジプトのアンワル・サダト（大統領。１９１８-１９８１）はイスラエルが占有していたシナイ半島を攻撃した（１９７３年の第四次中東戦争）。イスラエルは核を保有していてエジプトは保有していませんが、エジプトはイスラエルが核兵器を使わないことを知っていたわけです。

「核抑止」は、１９４５年以降なぜ比較的に平和が保たれているのか（世界大戦が起こっていないか）の説明としては十分ではありません。核兵器が理性的な判断力のない者の手中に落ちる危険性、そして予期しない事故が起こる可能性、つまり核攻撃されていないのにされているように誤認してしまうといった危険性が異常なほど高いので、とにかく廃絶に向かうしか手はないと考えています。

●自由と統制――民主主義はパーフェクトにはなりえない

――18世紀フランスの反啓蒙主義思想家の一人であるジョゼフ・ド・メーストル（1753－1821）は、「もし個人が勝手に決断をすることを許せば、それはアナキー（無政府状態）を招くことになる」と言っています。[*1] また、サミュエル・P・ハンチントン（アメリカの国際政治学者。1927－2008）は『文明の衝突』（1996年）の中で、「西欧が世界で勝利したのは、理念や価値観や宗教の上で優れていたからではなく、組織化された暴力を活用することに長けていたからだ」と言っています。つまり二人とも、「統制」は避けて通れないのだと言うわけです。

これに対して、フリードリヒ・ハイエク（オーストリアの経済学者。1899－1992）は『隷従への道』（1944年）の中で、社会主義も共産主義もファシズムと変わらない、なぜなら両方とも「集産主義 collectivism」だから、と。代わりに彼は個人主義 Individualism や自由至上主義（リバタリアニズム） libertarianism を奨励しました。それが結果として自由主義経済を促し、多くの人々を極貧困から救いましたが、同時に大きな富の不平等も生むことになった。

アナキーは避けるべきですが、同時に極端な統制も避けなければならないわけで、一体どのようにして「自由」と「統制」のバランスをとっていったらいいのでしょうか。

＊1 *Against Rousseau: On the State of Nature" and "On the Sovereignty of the People*

ピンカー それこそが、まさに自由民主主義の課題です。そして十全な答えというものは存在しませんね。必ず矛盾が出てくるからです。強い政府の統制は、専制につながる可能性が高いですし、アナキーは、犯罪、襲撃、混沌に直結します。民主主義とは両者のいちばんいい部分を組み合わせようとするものですが、そのかわりパーフェクトにはなりえない。政府権力が介在することで、人々が互いに攻撃し合うのを防ぐと同時に、（政府権力が大きくなりすぎて）政府が人々を攻撃することも回避しなければならない。そのためにチェック&バランス（抑制と均衡）のシステムや、選挙制度や、政府権力が大きくなりすぎないための法整備も必要です。

人々に自由を与えるということは、彼らが、依存症になったり自傷行為に陥ったりして、自分自身の人生を破壊してしまう可能性もあるということです。かといって、個人の行動をすべて指導できるほど完全無欠の政府などありえない。民主主義は常にゴタゴタした混乱を伴います。自由市場で自分を支えられない人たちが出てくるので、ある程度の福祉は必要ですが、働きに出ていく意欲が失せるほどの高い福祉はやりすぎです。パーフェクトにはなりえないけれども、なんとか試行錯誤を繰り返していくしかないですね。

●「一民族一国家」はもはや無理

――旧ユーゴスラビアは、元大統領のヨシップ・ブロズ・チトー（1892-1980）とスロボダン・ミロシェビッチ（1941-2006）が去ってから、小さな国に分裂しました。私たちは将来テクノロジーに支えられて世界政府を形成する方向に向かうのでしょうか、それとも、小さな国に分かれていくほうが自然な形なのでしょうか。

ピンカー　「国家」の概念そのものが時代に沿って変化していくと考えています。第一次世界大戦後、オーストリア・ハンガリー帝国やドイツ帝国など、次々と帝国が分裂していったわけですが、そのころ「一民族一国家」という考えが出てきました。それぞれの国は一つの言語、一つの民族、一つの宗教でまとまることができると。

これはうまくいかないことがすぐにわかります。人は、足があって移動する存在だからです。どの国も純粋な民族国家にはなりえず、必ず少数民族が存在することになる。ですから、国家の概念が純粋民族主義に基づくものだった場合、暴動、大虐殺、民族浄化などがついて回り、かなり醜い事態に発展してしまいます。この線の手前はフランス人だけ、向こう側はドイツ人だけというふうに、国境を民族の分岐線としてしまうと、それぞれの領域にいる少数民族を移動させるというようなひどい話に発展してしまうわけです。

「国家」は「国民である条件」を緩めることで成立してきました。人種、民族、言語といった枠を超えて、「社会契約としての市民」という概念を生み出してきた。一緒に住み、合意した規律に従い、政府は「暴力を規制する権力」を市民から委託されたけれども、市民に特定の宗教を強制したり、週末の過ごし方に介入することはできない。

カナダには、ケベック州という比較的大きなフランス語を話すマイノリティが存在します。ケベック州は他の9州と似ていますが、違うところもあって、特権も与えられています。非常に複雑で面倒な状態ですが、将来他の多くの国々もカナダの方向に向かうように思います。旧ユーゴスラビアの惨状が示したように、民族主義で国を維持していくことはもはや不可能ですから。

――ローマ帝国やヴェネツィア共和国が千年以上存続していくために行ったような、非常にオープンで実質的で複雑なバランスをうまくとっていく、という知恵が重要になっていくのでしょうか。

ピンカー　そうです。成功する国家は必ずこのようなやり方をしていくことになるはずです。民族や人種の延長上に国家が存在するということはもはや成り立たないでしょう。

――カナダの話が出ましたが、カナダでは、英語圏とフランス語圏の間の確執をどのように調整して、バランスをとってきているのでしょうか。

ピンカー　けっこう長い間ケベック州独立の話が続いていました。私自身ケベック州出身ですが、子どものころにはケベック州の独立を問う国民投票が2回あった。いずれの場合も独立派がわずかの差で敗退して、ケベック州はカナダに残ることになりました。と同時に、当時のピエール・トルドー首相の牽引によって、英語とフランス語の二言語がカナダの公用語として用いられることになったんですね。カナダ国内ならどこでも、公的には英語とフランス語が両方使用されるようになった。また（マイノリティである）ケベック州には少し特権[*1]が与えられました。他の州は「なんでケベック州だけ特別なんだ」と、あまりいい顔をしませんでしたが、それでもしぶしぶ受け入れて、結果としては成功しています。議論もするし、争いもするし、文句も出ますが、それでも世界中で最も幸福度の高い、最も住みやすい国の一つになっています。

＊1　たとえば、連邦政府は代々フランス系を省の要職に起用しようと努めたり、連邦政府を通さずに直接税金を集めることができ、国民年金でなく州民年金制度が通用している。また教育権や民事権は連邦政府ではなくケベック州政府に権限があり、「適用除外規定」（州法を憲法に優先させることが可能）がカナダ憲法に定められている。

●「世界政府」は可能か

――「世界政府」という考え方についてはどうですか。

ピンカー　世界が一つの政府のもとにまとまるとは思えません。先ほど「一民族一国家」は無理だと言いましたが、それでも一国家の国民が互いに協力し合うためには、ある程度の価値観や慣習を共有している必要があります。それが人類全体ということになったら、これがうまく機能するのはほぼ無理でしょう。加えて現在は、もしある国の政府に不満があったら、他の国に移住することができますが、世界政府になったら、月や火星にでも行かない限りどこにも移住できなくなってしまいます。

政府権力のチェック方法として、「選挙」の他に「移民」があります。どの政府も才能ある人々の頭脳流出を恐れているので、これが政府が国民に対して最善政策を施行しようとする動機ともなります。世界政府になったら、このチェック機能が稼働しなくなりますから、自ずと専制政治型になってしまうでしょう。

実は、一つの世界政府による専制と、196カ国が競争し合う形との間に、中間的な国際機関が存在することが可能ですね。すでにグローバルな国際機関、たとえば国際連合や欧州連合（EU）、北大西洋条約機構（NATO）、さまざまな貿易連合、防衛連合など、国を超えて活動し、かつ世界政府より小さい連合体が存在します。これからはこういった国際機関が増えて、もっと重要になってくるでしょうね。

——ただそういった国際機関には、コントロールする力はないですよね。たとえば、大規模情報企業やグローバル企業は、すでに国家権力を凌駕する力をもちつつあるようです。税金も払わないですし。将来こういった企業は世界のオリガーキー（寡頭財閥）のような存在となって、もはや一国家では制御できない状態になるのではないですか。国連のような国際機関にコントロールする力を委託しない場合、どのような形での制御が可能なのでしょうか。

ピンカー　国際機関に警察機能をもたせなくとも、ソフトパワーを使うことは可能です。たとえばEUは軍隊をもちませんが、圧力をかけることはできる。EUと貿易したい国々は、EUの要求に応えることを余儀なくされます。さまざまな国が相互依存度を高めていくと、個々の国よりも、連合している国々により大きなパワーが生じます。テロリスト対策、気候変動問題、海洋汚染、海洋資源保全、海賊対策、サイバー紛争、オリガーキーによるマネー移動、広域感染病、移民・難民問題など、これらすべてが一国では解決できない問題で、必ず他国の関与を必要とします。貿易もそうですね。どの国も世界貿易やマネー市場から爪弾きされたくない。これらは世界の国々に共通する要望ですから、われわれと貿易したいのであればこれらのルールに従うべし、というふうに圧力をかけることが可能です。

●心理的攻撃は肉体的暴力よりはるかにマシだ

――現在の日本では、心理的な攻撃性というものが学校や企業でよく見られます。肉体的でないこのサイレントな攻撃性というものも、暴力の一種ではないですか。もしそうなら、暴力が減退したというより、その「形態」が変わっただけだと言うこともできませんか。

ピンカー　その「形態」こそが、大きな違いです。誰かが私を侮辱したというのと、私の胸にナイフを刺したというのとでは、確かに両方とも暴力には違いないけれども、大きな差があります。ナイフで刺されるのと侮辱発言をされるのと、どちらをとるかと言われたら、迷うことなく侮辱発言のほうをとります。これは間違いなく進歩です。両方とも暴力の一形態だから、両方とも同じくらいの暴力に匹敵すると言うのは、詭弁(きべん)でしょう。社会的な競争からくる侮辱や罵倒や悪意と、殺人やレイプとの間には、天地の開きがあります。
人間の本性は変わらないので、常に社会的地位をめぐる競争はありますが、その競争の際、肉体的に力の強い者や容赦なく暴力をふるう者が必ず勝利するのではなく、説得力や知能や人気や努力などによって勝利することができるなら、それは確実に進歩ですね。もちろんいつになっても侮辱や悪口などはなくならないでしょうが、肉体的な暴力と心理的なそれとの双方に暴力という言葉を使うのは、現実を把握するうえで誤解を生むと思います。

●ニュースは「事件」をカバーして「傾向(トレンド)」をカバーしない

——なぜわれわれは、どれほど現実に進歩してきているのかを把握することが困難なのでしょうか。

ピンカー　ジャーナリズムの影響が大きいと思います。われわれは実際に各国を訪問して自分の眼で確かめることができないので、新聞・雑誌に頼るわけですが、たとえバイアスが一切なかったとしても、ニュースはそもそも「事件」をカバーして「傾向」をカバーしないわけで、このこと自体が本質的に誤解を生んでしまうのです。

戦争はニュースになるけれども、平和は退屈だからニュースにならない。街がテロリストに攻撃されたらニュースですが、攻撃されない街はニュースにならない。感染症が蔓延した国はニュースですが、健康な国はニュースにならない。ひっきょう、毎日ニュースで報道される内容は、いずれもその時点における世界の最悪事態についてであるということになります。そのため、世界は日々刻々悪いほうに向かっているという印象を受ける一方、すべての改善についてはまったく目に触れないことになってしまいます。

とくに改善がゆっくりと起こっている場合、それがたとえ世界を一変するような事象であっても、一切ニュースになることはないでしょう。傾向とデータを追うことで初めて確認することができる類のものだからです。ドイツの経済学者マックス・ローザーの言ったことですが、「新聞は、過去25年間、毎日『13万7000人が貧困を脱出した』という見出しを出すことだってできた」と。でもそういう見出しは決して出ない。結果として10億人の人が貧困を脱出しているけれども、誰もそれを知らないのです。ある時某ニュース機関に呼ばれて講演をしたんですが、彼らがジョークで「13万7000人が昨日貧困を脱出しました」という見出しを作ってくれたんですね。私のオフィスに飾ってあります（笑）。

——それはいいですね（笑）。

21世紀の啓蒙主義

●「理性」「科学」「ヒューマニズム」「進歩」こそが啓蒙の本質

——近著『21世紀の啓蒙』の中であなたは、人類の発展のために「理性」「科学」「ヒューマニズム」「進歩（プログレス）」という4つの基本的な啓蒙主義の価値観を提唱しています。これらの価値観がなぜ今日の社会にとくに共鳴するとお考えですか。

ピンカー　まだ十分に共鳴していないですね。これらの価値観は現代社会にもっと共鳴してしかるべきだと思ったので、本を書きました（笑）。

「理性」の優位についてはまったく議論の余地がないでしょう。「理性は必要だと思わない。なぜなら」と言った瞬間に、すでにして理性を使っていることになります。もちろん実際に戦ったり賄賂で籠絡している場合には理性は必要ないですが、「理性はいいことか」という議論を始めた瞬間にすでに「理性」を使っていることになりますから「理性」を肯定していることになって、その議論に敗北します。

「科学」とは、この世界がなぜそうなっているのかを理解するために「理性」を実際に適用するということです。

「ヒューマニズム」（神ではなく人間の繁栄に主眼を置いた考え方）とは単に、人生、幸福、栄養、健康、娯楽など、自分が欲するものを他の人にも与えるということです。人間関係に「理性」を使いだせば、「自分の幸福だけが重要で他の人はどうでもいい」と主張した場合、当然「そういう考えならもうあなたとはつきあわない」という反応が返ってくるので、こういう態度は成り立たないことがわかります。他の人を必要とする限り、つまり必ずということですが、「ヒューマニズム」の方向に向かわざるをえないので、すべての人の幸福、健康、健全ということが重要になるわけです。

――17世紀と18世紀の啓蒙主義時代には、複数の思想家がいましたが、ご自身はとくにどの思想家の考え方に最も近いとお考えですか。また、それはなぜでしょうか。

ピンカー　私が「啓蒙」という言葉を使う場合、17、18世紀の「啓蒙主義」の思想家たちがいかに素晴らしい主張をしたかを喧伝する、つまり宗教の聖人たちのかわりに思想の聖人たちに光を当てる、ということではないんですね。人ではなく、アイディアが重要だからです。バルーフ・スピノザ（1632-1677）が自分のヒーローだから、すべてスピノザの言うとおりにしよう、とはならない。デイヴィッド・ヒューム（1711-1776）もイマヌエル・カントもしかり。

それぞれの主張から良い部分を抽出していくということです。しかもそれは時代に沿って変化していく。まさにこれこそが「啓蒙主義」のレッスンです。つまり優れた人物ではなく優れたアイディアこそが重要なんだと。

●「理性は情熱の奴隷であるべき」なのか

――ご著書の中で、とくに「理性」の重要さを強調されています。

しかしご存じのとおり、フィニアス・ゲージ[*1]の場合のように、大脳辺縁系[*2]と前頭前野[*3]の連絡網が切れてしまうと、良識ある判断というものができなくなってしまうことがわかっています。また、最近の神経科学の研究によると、（感情を司っている）扁桃体は記憶の固定化を調整していることがわかってきました。

それに、デイヴィッド・ヒュームも「理性は情熱の奴隷であるべきだ」[*4]と言っていますね。「感情」は、世界の美しさを感知するためのみならず、われわれが生き残っていくうえで「合理的な」判断を下すためにも、必須なのではありませんか。

＊1　19世紀のアメリカの鉄道建設技術者、ゲージは、工事現場の爆発により、直径３㎝、長さ１ｍの鉄棒が左頬から入って頭頂を突き抜けるという大事故にあう。ＩＱテストで知能への損傷は見られなかったにもかかわらず、事故後適切な判断力を欠いて、責任ある仕事ができなくなってしまった。

＊2　感情を司る扁桃体や記憶を司る海馬、体温調整や生殖活動など生命の維持・継続を司る視床下部などで構成される脳の中央に位置する旧皮質部位。

＊3　思考や判断といった高次の作業に必要な記憶や調整を行う、脳の前頭に位置する新皮質部位。

＊4 *A Treatise of Human Nature*, Book Ⅱ, 1739、『人間本性論：情念について』法政大学出版局。

ピンカー　ヒュームのコメントはやや誤解されてきていると思います。ヒュームは、誰かに対して怒りを感じたら怒鳴れとか、性的欲望を感じたらアタックしてキスしろ、美味しい食べ物があったら貪り食え、と言っているわけではないですね。ある目的追求のために理性を使うことは、その目的が何であるべきかを決めることにはならない（目的は情熱が決めるのであって、理性はそれに達するための手段にすぎない）、と言っているわけです。あなたが欲すること（情熱がもたらすもの）と、あなたが信ずること（理性が生み出すもの）とは、論理的にまったく異なるということです。これは正しいと思います。

しかし、われわれが欲することは、理性によって修正することができますし、そうであるべきだと考えます。われわれが欲することで、理性がそれを抑える場合はよくあります。セクシュアル・ハラスメントや独裁主義者の支配欲、暴食をしてエクササイズをしないとか、友だちに対して怒りを感じたり、感情の赴くままに耽溺するとかがそれら（過剰要望）ですね。確かに空腹を感じたり、肉体的な癒やしや快楽を求めたりすることは避けられませんが、われわれの感情のうちどれが実行可能で持続可能なのかを見極めて、そういう要望には従うけれども、有害なものについては、それらを抑圧する必要があります。自分が感情的にあれが欲しいと思っても、他の人たちにも感情があって欲しいものがあるので、私の望むこととあなたの望むことが相反する場合もあって、すべての人が満足するようにはできないわけです。ですからわれわれの欲求を、他の人たちのそれらと対立・衝突しないよう適度に制御しながら、社会を運営していくことが大事ですね。

――それに異論はありませんが、感情は時折、理性よりも強く生存を助けたり、好奇心を掻き立てたり、仕事に活力や動機を与えたりもするのではないですか。

ピンカー　確かに生きていくこと、健康であることなどは、本能的に直感する避けられないものであって、その点ヒュームは正しいです。さらに、「共感力」などの感情は、むしろ積極的に発揮されるほうが望ましい。ただし、あくまで理性が、それはわれわれに善をもたらすと肯定した場合においてですが。

たとえば、一人の非常に愛くるしい子どもがいて、その子の健康を少し良くするためにあらゆる手段が講じられる一方で、直接目に触れることのない何千人もの子どもたちが飢えている場合、共感を感じられないからといってこれらの子どもたちを無視していいかというと、そうではないですね。この場合、感情を脇に置いておいて、一体われわれは最終的に何を望んでいるのか、すなわちそれは人々の暮らし向きが向上することであると、そうなら、なるべく多くの人々にその恩恵が振り分けられるように努力する、という結論になるわけです。

●なぜフリースピーチが大切なのか

――イマヌエル・カントは「個人の思考の発表は、いかなる場合でも自由でなければならない」[*1]と言っています。すなわち、表現の自由は極めて重要であると。これがアメリカ憲法の権利章典にも反映されているわけです。なぜフリースピーチ（言論の自由）が根本的に重要なのかお話しいただけますか。

＊1 *Answering the Question: What Is Enlightenment?*, 1784

ピンカー　まず言っておきたいのは、誰も完全無欠ではない、全能ではない、天使ではないということです。問題なのは、人間の本質的な性質からして、しばしば完全無欠だと勘違いするという点です（笑）。誰一人として真実が何か、最善策は何かを的確に判断できるような天才はいません。ですから他の人々からの挑戦や議論や批判が必要になってくる。新しいアイディアとは、一般的に言って、たった一つの脳から出てくるわけではないんですね。何千ものアイディアが協力し合い切磋琢磨することで、できあがってくるものです。

フリースピーチを否定するということは、逆に言うと「一人の人が素晴らしく才能があって、その人が真実を知っていることが確かだから、その人が他の人々をすべて押さえて万事について決定できる」ということになってしまうわけですが、それが真実でないことは明白ですね。

――ポリティカル・コレクトネス（政治的公正：差別用語を使わないようにする運動。略称PC）文化について、また「公正 fairness」と「同じ sameness」の混同について、お話しいただけますか。

ピンカー　それはとくに混同しやすい点です。たとえば、「平等」とは、すべての人が同じ知性や同じ性質をもっているということを意味し、男性と女性もまったく同じだから、互いに入れ替えても全然問題ないというふうに言われることもあります。これは「同じ」、つまりわれわれはすべてクローンだと考えることと、「公正」すなわち各個人は公正に平等に扱われなければならない、ということとを混同してしまっています。

「公正」とは、年齢・性別・人種などを考慮せずに、どの人間も公正に扱うということであって、どの人間のグループもまったく同じだという意味ではありません。さらに、どのグループも同じだと主張することには危険も伴います。もし事実がそうでないことを示しているとわかった場合、たとえば男女に違いがあることがわかった場合に、今度は「ああ結局女性差別をしてもOKだ」という方向に議論がずれていってしまう可能性が高くなるからです。

どの人間も「公正に扱う」ことは、実際の事実データがどうであろうと、「倫理的・道徳的な原則」なんだとしっかり認識している必要があるのです。

人間の本性と意識について

●言語とは「思考を信号に変換する」能力

――以前、「長い目で見ると子どもは、親によって形作られるのではなく、遺伝子と、文化と、偶然の出来事によって作られる」と言っておられました。人間の能力のうち、どれくらいが自然 nature によって、またどれくらいが環境 nurture によって作られるのでしょうか。

ピンカー 特定の能力についてこの問いに答えることは無理ですね。たとえば言語能力はどれくらいが生得的なのかといっても、日本語や、イディシュ語、英語、スワヒリ語が話せるかどうかというのは、どの言語文化圏で育ったかによります。ですから、文化が重要な影響を与えることは明白です。また、英語を人間の赤ちゃんと子猫に喋った場合、人間は英語を習得するけれども、猫は習得しない（猫には言語習得の神経回路がない）。ですから、言語獲得のための神経回路は生得的ですが、どの言語を習得するかは環境によるわけです。

人間の特質は、多くが同じようなメカニズムになっています。学習回路は生得的に備わっているけれども、外からのインプットがなければ、それが活用されないのです。

一方で、なぜある人は他の人たちより言語能力が高いのか、数学能力が高いのか、より誠実なのか、この違いはどこから来るのか、といった問いかけをすることはできます。つまり言語能力そのものではなく、個人的な、たとえばリサとサリーの言語能力の差ということですね。もちろんグループによる違いもありますが、概して違いの約半分、つまり25～75％は遺伝子により、約半分弱は予期できない事柄による――これは同じ家庭で育った一卵性双生児でも違いが出てくる部分です。そして5～10％といったごくわずかの部分が、親をはじめとする家族の影響ということになります。

――言語に特別な生得的獲得回路をもたなくとも、言語獲得は①人間の言語に対する強い好奇心と、②言語に限定されない素晴らしいパターン認識能力、の二つによってなされるという可能性はないですか。

ピンカー　可能だと思いますが、その場合、「パターン認識」のパターンとは何を意味しているのかを定義しなければならない。パターンはそこらじゅうにありますから。

言語獲得に関与する特別なパターンとは「複雑な思考を特定の連続音（信号）に変換する」というものです。他のパターンに敏感でも、このパターンに敏感ではないという場合もあるでしょう。たとえば動物もパターンに対して敏感に反応します。でもほとんどの動物は言語を獲得できません。もしパターン認識能力だけでいいなら、チンパンジーももっていますから彼らも言語を話すはずですが、それはできない。確かに生得的な言語獲得能力はパターン認識能力ではありますが、中でも「思考を信号に変換する」、そしてその逆もする、という特殊なものになるわけです。

●男の攻撃性とビデオゲームの効用

——どの国も例外なく、ほとんどの殺人は男性によって犯されます。脳内には解剖学的な男女差があることがわかっていると同時に、「社会的に隔離されたオスのマウスは、強い攻撃性を示す」こともわかっています。[*1]
脳の性差についてお話しいただけますか。また、人類は攻撃性、とくに男性の攻撃性を懐柔・回避するために、スポーツやビデオゲームを生み出したのでしょうか（笑）。

＊1　*Social isolation stress-induced aggression in mice: a model to study the pharmachology of neurosteroidogenesis*, Stress, June 2005

ピンカー　（笑）。「攻撃性」にはいろいろな形がありますから、男だけが攻撃的だとは言い切れませんが、とくに男性に偏って発現される攻撃性があります。それは、誰が序列の上にいるのかといった地位 status や支配 dominance に関係するものです。これは男性に特有なものですね。駐車場でどちらがそのスペースを取るのかをめぐって口論になり、片方が銃を取り出して相手を撃ってしまうといった犯罪を犯すのは、ほぼ確実に男です。これに対して、自己防衛や自国の防衛のための攻撃性ということになると、男女差は縮まってくる。一般的に言って、男は「支配」にやたら執着していて、自己の名声や地位や評判を守るための攻撃性は、男のほうがはるかに大きいですね。

さらに男は女よりも一般的にサディスティックで、懲罰的で、報復的です。もちろんさまざまな性差は、男女で完全に分かれているのではなく、分布がオーバーラップしている部分もありますが、平均をとるとその差がハッキリと分かれるということです。

スポーツとビデオゲームについては、元来娯楽目的で作られたものだと思いますが、どのような楽しみ方をするかは、男女によって分かれます。どういったビデオゲームを好むかも、男女で異なっていることがわかっています。

ただ結果として、現実の暴力を減らす効果が出てきていることも十分考えられます。ビデオゲームの人気がうなぎのぼりになるに従って、若者の犯罪率が下がってきたというのも事実です。これはわれわれの中に、ある量の攻撃性があって、ビデオゲームでそれが放出されると、もう一方の出口から放出される攻撃性の量が減る、というわけではないと思いますが、私はこれを「攻撃性の水圧説」と呼んでいて（笑）、スチームが満ち満ちて、どこかで圧力を開放する必要が出てくるという考え方ですね。あるいは実はもっと単純な話で、屋内でビデオゲームをしていれば、街路に出ていって犯罪に巻き込まれることもないから、という理由で犯罪率が下がったのかもしれないですが。

――それはビデオゲームの有効活用ということになりますか。

ピンカー　確かにそうです（笑）。

●男女の性欲の差

——ところで視床下部の前部には神経細胞の集合体（核）がいくつかあって、とくにその中の性的な欲求の調節に関与する神経細胞核は、男性のほうが女性より平均して2倍も大きいことが知られています。[*1] もし一般的に言って男性のほうが女性より性欲が2倍強いのだとすれば、男性のほうに合わせると女性は結婚や恋愛関係において、望まないセックスを多く強いられることになり、女性のほうに合わせると男性はストレスがたまってしまうということになりませんか。

＊1　Simon LeVay, *The Sexual Brain*, MIT Press, 1993

ピンカー　そうだと思います。つまるところ、自然がわれわれを完全に幸せにするようにはできていないということですね。男性と女性の望むことが一致しないので、葛藤の原因となります。だからこそ法律や慣習や社会規範というものが存在するわけです。誰もが自分の欲することをすべて手に入れるのは不可能ですから。

加えて自律についての倫理的な規範というものも存在します。すなわち「個人は自分の体に対して完全にそれをコントロールする権利を有する」というものです。ですから女性がセックスをするかどうかという決断は、完全に彼女自身が下すべきですね。男性の欲求はこれくらいで女性はこれくらいだから、ちょうど中間をとるべき、というふうにはならない。道徳的には、誰もが自分の体についての完全なコントロール権をもっているのです。これは科学的な原理に基づくものではないですよ。科学的にはあなたが言われたように、欲求の差があるわけですから。これは道徳的な規範で、これを支持することが、長期的にみると多くの人々にとって最も妥当で納得のいく道理だということになるわけです。

●「自由意志」は脳の神経回路として存在する

――チャールズ・ダーウィンは晩年ミミズの研究に没頭して、知覚をもたない単純な生物と知覚をもつ複雑な生物との間には、はっきりとした区別はない、両者は連続している、と考えていたようです。同意されますか。

ピンカー　同意します。

――その場合、単純な生物にすでに意識が存在するのか、それとも複雑な生物にも意識が存在しないことになるのか。

ピンカー　もしダーウィンが正しいとすれば、その質問に対してはＹｅｓ、Ｎｏといった答えがないことになります。つまり「意識」とは、もっているかもっていないかというふうにハッキリと判別できるわけではなくて、さまざまな途中段階にあるというのが、おそらくその答えでしょう。実際人間でもその途中段階にある場合がありますよね。半覚醒というような状態もあるし、意識がファンタジー空間を浮遊していて、周囲で何が起こっているのか気づかないという状態もあるでしょう。「意識」は多元的で段階的なのでしょう。

他の哺乳類の場合、私は犬が痛みを感じるというのは確信しています。私自身は脳のある回路を通して痛みを感じることができますが、犬にも同じ神経回路があるので、痛みを感じるのは間違いないだろうと。誰かが私の足を踏んだら「痛い」と声を上げますが、犬も足を踏まれたら悲鳴を上げるわけで。

たとえばミミズのようなはるかに単純な生物となると、「意識」があるかどうかについてはわからないですね。この先ずっとわからないかもしれない。まさに連続しているわけですが、人間や犬には「意識」はあるでしょうし、鳥にもおそらくあると言えるでしょうが、牡蠣となるとどうかわかりませんね。

――「自由意志」についてはどのように考えておられますか。

ピンカー　自分が決断をするたびにミラクルが起こっている、というような意味での「自由意志」があるとは思いません。われわれが決断をするということは、単なる脳の物理的なプロセスなわけです。物理的な法則を超えて分子を動かす、なんらかのマジックがあるとは考えていません。

一方で、脳は途方もなく複雑な組織です。あまりにも複雑なので、その人間がどのように行動するか、確信をもって予測することは不可能です。必ず不可知の部分が残る。ランダムな理由かもしれない。熱力学的な分子の動きが影響するのかもしれないし、非線形的な力学が働いているのかもしれないし、ごく小さなインプットが極めて大きなアウトプットになるカオス的な現象なのかもしれない。ですからわれわれの行動を完全に予測することはできませんが、それでも物理の法則に従うことは確かです。脳内で決断をするプロセスには、記憶や、周囲の人々から受け取る社会的な情報、将来を予測する能力など、実に多くの入力を必要とします。

「自由意志」とは脳の神経回路という形で存在するのだと思います。完全には予測できないし、非常に複雑で、他の人たちがどのようにわれわれの行動を評価するかまで計算に入ってきます。たとえばこのグラスを持ち上げるという行為と、膝下を叩いたら足が跳ね上がるという行為との違いは、一方は「自由意志」で、もう一方はそうではないということですね。両方とも物理法則に従った行動ですが、一方は他方よりはるかに複雑で、はるかに予測不可能だということです。

――集団知能のような「創発された現象」がありますね。たとえば個々のアリは非常に単純な生物なのですが、アリのコロニーは驚くべき集団知能を示すわけです。私たちの脳も同じですね。

ピンカー　そのとおりです。賛成します。

――「攻撃性」「同情」「共感」も創発現象だと思いますが、これらの創発現象を理解する手段があるのでしょうか。

ピンカー　完全に理解することは不可能ですが、いくつかの異なるレベルからアプローチすることによって洞察することは可能だと思います。「同情」「攻撃性」「言語」といった現象を個々の神経細胞のレベルで理解することはできないでしょう。われわれの神経細胞とネズミのそれとはほぼ同じ構造ですが、ネズミとわれわれは同じではないですから。従って、マルチレベルでの研究が必要になってくると思います。これは私のオリジナルな見解ではなく、動物行動学者ニコ・ティンバーゲン（１９０７-１９８８）や、神経科学者デイビッド・マー（１９４５-１９８０）など複数の科学者たちが提唱していることです。神経生理学、その上位にある回路やシステム、情報処理のソフトウェアとハードウェア、そして進化がどのように脳を形作ってきたのか、というマルチレベルでの研究が必要になってきます。

ホモサピエンスの未来

●カリスマ性のあるリーダーには注意せよ

——スタンレー・ミルグラムの実験[*1]では、人々は、「命令に従うことが、社会をより良くするために自分が果たすべき責任である」と信じた場合、いかに残酷な命令であっても良心の呵責をまったく感ずることなくそれに従うことができる、ということが示されました。

人間には他人の気持ちを推し量る「共感力」があって、それは子育てや病人・老人の介護には素晴らしい力を発揮しますが、同時に忖度による服従という態度も生んでしまう危険性を備えています。こういう傾向を避けることはできるのでしょうか。

＊1　アメリカの社会心理学者スタンレー・ミルグラムによる「隷属行動の研究」実験は、一般市民が特定の命令のもとでは非常に残酷な行為を平気で行うことができることを証明するもの。教師の役を与えられた被検者は、壁の向こう側にいる生徒役の人物に簡単な単語問題を出し、生徒が間違えると生徒に電気ショックを与えるよう指示される。電圧は15Vから始まって最大450Vまで15Vずつ上げていくことができ、加圧

量に従って、生徒の反応する声が聞こえるように設定してある。生徒役には実際の被害はないのだが、被検者にはそれはわからず、本物としか思えない声が聞こえてくる。実際生徒の、痛みを訴える声から、絶叫、そして苦悶の金切り声、失神して無反応になる、まで聞かされるのだが、指導者から静かにかつ権威的に実験継続を促されると、驚いたことに、生徒が絶叫して実験中止を懇願する300Vまでは、なんと100%の被検者が加圧し続け、最大の450Vまでスイッチを入れた者は65%にものぼった。

ピンカー　ミルグラムの実験では、「社会をより良くする」という理由さえなかったのに、権威的な指導者による命令に従ってしまったわけです。あなたが言われたとおり、人々が「目的達成のためには手段を選ばなくていい」のだと思った場合、ひどい危害が加えられることになります。ですから、たとえば「罪のない人たちを殺さない」といった、越えてはならない一線というものを厳格に引いておくことが大事です。そして、先ほど感情について話をしましたが、暴力や弾圧の被害者に対する「理解と共感」の感情は奨励されるべきですね。

同時に、ユートピアや完全な世界といったものを約束するようなカリスマ性のあるリーダーに対しては十分な注意が必要で、彼も人間だということを絶対に忘れないように心がけるべきです。フリースピーチとオープンな議論というものが大事で、誰かが「他の人たちを殺害排除することで完全なる世界を目指す」と提案してきたら、それに反対する意見も必ず発表できるようにしておかなければならない。カリスマ性のあるリーダーに従ったことによって残虐行為が行われた、過去の歴史についても知らなければならない。答えは一つではないですね。

——リーダーが人間の生存本能に訴えかけ、感情的に人々を説得して闘争に駆り立てようとした場合、それに抵抗するのは非常に難しいですよね。

ピンカー　人間の本性がもたらす危険性、たとえば「恐怖」とか「被害妄想」とか「部族主義」などを回避するには、人間の本性や歴史やアイディアなど、自分たち自身についてよく知っていることが大事です。またリーダーはどのようにして脅迫をでっち上げるのか、などについてもよく知っていること。たとえば教育を受けた人であれば、ドイツ国会議事堂放火事件（1933年に起こった放火事件は計画的犯行であると偽装され、ナチ政権によって、共産主義および民主主義の弾圧に利用された）が、ヒトラー率いるナチ政権が権力を掌握するきっかけとなり、その後の大惨事を引き起こしたことを知っています。ですから、ヒトラーがドイツ国民を絡繰（からく）ったようには騙されないようにしよう、と防衛線を張ることができます。知識をもってすれば、そういった陥穽（かんせい）をキャッチして、それらに陥らないように注意することも可能になります。

●分業して真実を追求していこう

――現代社会でわれわれは、日々刻々押し寄せる情報を受け取っていて、ゆっくりと歴史に照らして問題の本質を見つめる時間がないように思います。あらゆることが急速に流れていってしまう。果たしてわれわれには、即時の感情的な反応に押し流されずに、問題の本質を見極める能力と忍耐力が備わっているのかと、疑問にも思うのですが。

ピンカー　確かに時間には限りがありますし、脳の情報処理能力の限界というものもあります。ですから、分業するシステムが必要です。そしてシステム全体のルールというものが、「真実の探求」と「理性的な判断」の方向に向かうように設定しておく。たった一人の人間がすべてを知ることは不可能ですし、完全に理性的であることも無理ですから。

サイエンスの世界では、ピアレビュー制度（論文をサイエンス専門誌に投稿すると、他の同じ分野の科学者たちが読んで、却下したり、さまざまな批判や別の実験を加える修正案などを出してきて、論文は何度も差し戻され修正され、最終的にレビューアーたちからOKが出た段階で初めて受理されて、専門誌に掲載されることになる仕組み）が確立していて、オープンに議論され批判されます。もちろん完璧ではないし、レビューの間違いもありますが、ないよりはずっといいですね。

政治の世界では、チェック&バランスの機能が備わっていて、大統領を選出することができると同時に、弾劾することもできるようになっています。ジャーナリズムの世界では、編集者がジャーナリストの情報源確認を必ず要求しますし、オンブズマン制度（外部の監視組織）があって、新聞の誤報を指摘する仕組みになっていますし、ファクトチェックを行う組織もあります。どれ一つとしてパーフェクトではないですが、ちょうど先ほどの話にあったアリの社会が全体として優れた知能を示すのと同じように、社会の組織構造と規則によって、全体として、真実を追求する方向に向かうことが可能ですね。

この考え方がナイーブでない証拠に、サイエンスの世界ではそれが機能してきていますから。誰一人として完全な天才などいないし、科学者だって天才ではないですが、一人がもう一人をオープンに批判することが許されることで、サイエンスのコミュニティ全体としては、どの一人よりもずっとサイエンスの発展に貢献してきています。

●嘘を見抜く「クリティカル思考」と「知識」が大事

――将来の教育にとって、最も重要な要素はなんだとお考えですか。

ピンカー　いくつもの答えがあると思います。私があげたいのは、データに基づく「クリティカル思考」、すなわち誤謬や誤解を見通す力、物事の本質を深く掘り下げて真実を探っていくことができる力、すなわち思考についで思考できる力を養うことですね。これらは、政治・科学・健康、日常生活など、あらゆる分野に有効です。この思考の道具に加えて、「知識」も重要です。「奴隷制度」「ローマ帝国」「ルネサンス」「第二次世界大戦」「ロシア革命」「共産主義」「クリストファー・コロンブス」等々、情報を知らなければ「クリティカル思考」は役に立ちません。教育学の分野では、「知識を教える」のか「思考方法を教える」のかについて侃々諤々（かんかんがくがく）の議論があるようですが、当然両方必要ですね。

――クリティカル思考を教える前にまず「基礎を徹底的に訓練すべきだ」と言う人もいますし、いや「学習の動機さえ与えれば、自ら学ぶようになる」と言う人もいるわけですが。

ピンカー　どちらかということではないでしょう。訓練はもちろん大事です。掛け算の九九が暗唱できるとか、文字配列を見た瞬間に「キリン」とか「民主主義」とか「脳」という言葉だと理解できることは大事です。すべてをゼロから理屈立てて理解していくのでは、行き詰まってしまうし、かといってすべてをオートマティックな反応に帰することもできません。効果的な思考認識は、意識的な注意を払わずに済むオートマティックな基礎知識の上に築かれます。さらに、より大きなアイディアは小さなアイディアの上に構築されていく。さらに大きなアイディアはその中間のアイディアによって構築されていく。ですから、ある程度の訓練というのは必要になるわけです。

――将来も学校は必要でしょうか。

ピンカー　必要だと思います。

――社会性を養うためですか。

ピンカー　社会性もそうですが、規律ある思考や行動のためですね。たとえば問題集を解くとか、学習したことに対して試験があるとか。試験は、得点を出すためにあるというより、試験があることによって、学習内容を整理したり復習したりすることで、それが定着する可能性が高くなるからですね。初めから非常に学習意欲が高くインテリジェントな人は、動機を与えるだけでその先に進むことができるでしょうが、ほとんどの人には、(学校が提供するような)しっかりした構造的なサポートが必要ですね。

●現在はインターネットがもたらす混乱への「対応時期」

――情報産業に携わる人たちは、テクノロジーが個人の力を強化して、より分散型の社会をもたらし、それによって世界はより安全に、透明に、そして民主的になると予測していました。しかし現実には、インターネットは部族主義をかえって拡大させているようです。さらに、MITの研究によると、インターネットを通じて嘘は6倍も速く、広く、深く伝わることが示されました。インターネットは人間の脳にどのような影響を与えているのでしょうか。

ピンカー　影響を理解するにはまだ時期尚早ですね。フェイクニュースの拡散やソーシャルメディアを通して憎しみ（ヘイト）が拡散するなど、人々が予測しなかったことが起こりましたが、まだそれに対する反動が出てきていませんね。ほとんどの人は、ヘイトが拡散してほしくはないし、真実は嘘よりずっといいと思っているわけです。一体どのようにしてソーシャルメディアから嘘やヘイトが減るように誘導していったらいいのか。

フェイスブックなどの会社は、なんとかこの問題に対応しようとしています。もちろんまだ十分とは言えませんが、すでに改善の兆しが見られます。たとえば、２０１８年のアメリカ中間選挙では、２０１６年の大統領選挙の時よりもずっとフェイクニュースが少なくなった。混乱が生じた後に、組織や体制がそれへの反動となる対応策を講じるまで、時差があるのが常です。

同じようなことは印刷技術が出現（1440年）した際にも起こりました。この技術のせいで宗教戦争（16世紀に起こった宗教改革[*1]）が起こったと言うことだってできるでしょう。ラジオもファシズムが台頭する際に大きな役割を果たしました。でも結果として宗教戦争やファシズムがエンドレスに継続することにはならなかった。ですからわれわれは、この新しいメディアに対する反動対応策を発達させる過程にあるのだと思います。

＊1　印刷技術の発明によって、聖書が一般の人々にも行き渡るようになり、宗教の権力者たちの堕落・腐敗を追及して「聖書に返れ」と主張したマルチン・ルターによる宗教改革を成功させることになった。これにより、中世の「暗黒時代」は終焉を告げた。

●テクノロジーは孤独化を加速させるか

――「社会的知能（社交性）」についてですが、「社会的知能」は種の存続にとってカギとなるようです。しかし、現代社会で人々は、より孤独になってきているように見受けられます。たとえばイギリスでは、2018年に孤独担当大臣 Minister for Loneliness が任命され、孤立する人々の生活を支えるための増大する支出を制御することが期待されています。

人類は今後テクノロジーに支えられて、ますます孤立していくのでしょうか。もしそうなら、それは問題になるのでしょうか。

ピンカー　孤独化が加速していくのであれば、それは問題になるでしょう。ただ、孤独化についてはやや誇張されているきらいもあると思います。『21世紀の啓蒙』の中でも、孤独化についてのデータを探ってみたのですが、われわれが孤独化しつつあるという議論は実はかなり長い間言われてきているんですね。私が子どものころに聞いたビートルズの有名な曲「エリナー・リグビー」の中にも、「あのさみしい人たちを見てごらん」というコーラスがありますね。

そしてわれわれは自分以外の人たちに対して、現実よりややネガティブな偏見を必ずもっているものです。誰もが「他の人たちは自分より少し不幸だ」と思っている。あなたはどれくらい幸せですかと聞くと、10のうち8くらいかな、と答えますが、あなたの国の人はどれくらい幸せでしょうかと聞くと、10のうち4くらいかな、と答えるんですね。このギャップは、どの国でも見られる現象です。ですから孤独化現象のうちのいくらかは誇張だろうと思います。
　また孤独化は、自由の代償という面もあるでしょう。一人で暮らす人が増えたと同時に、配偶者による虐待とか舅・姑の支配から解放された人の数も増えているでしょうから。三世代同居の場合は、プライバシーもなければ自由もないでしょう。もし自分の好きなように生活したいのであれば、反面孤独にもなるということですね。孤独化が行きすぎたかどうかについては、人にもよりますしね。

――将来、意識をもったロボットの開発は可能でしょうか。

ピンカー　よりスマートなロボットが開発されていくことは間違いないですね。「意識」を備えているかどうかは、哲学的な問いになって、答えはないですね。われわれ人間と同じように行動するから「意識」があると言えるかもしれないし、いやそれは単に非常に複雑な回路を備えているだけだとも言えるでしょう。哲学者が「意識についての難しい問題（ハードプロブレム）」と呼ぶものですね。ハードなのは、どのように答えていいかわからないからです。これは先ほど出てきた「牡蠣に意識はあるか」という問題とも関連しています。

●「他人の心を推測する能力」が宗教を生んだ

――宗教をどのように定義されますか。また宗教はどこから来たのでしょうか。

ピンカー　私はあえて定義をしませんが、多くの人は宗教を「信仰システム」と「社会ネットワーク」の結合と考えていて、「信仰システム」の中には、たいてい「物理法則に則った因果関係」を否定する何かしらの「超自然的な存在」というものが含まれています。肉体から乖離したマインド（心）のような存在ですね。一神教の場合は一つの神ですし、川や木や動物に霊が宿ると考える精霊信仰もあります。これが多くの人たちが考える宗教です。

宗教はどこから来たかということですが、いくつもの心理的な源から出現してきたのでしょう。一つは、われわれには「他の人たちにマインドがあると見なす傾向がある」というものです。先ほどミミズに「意識」はあるか、ロボットは「意識」をもつことができるかという話をしましたが、たとえばあなたには「意識」はあるかと問うこともできるわけで、ロボットかもしれない（笑）、いやそうは思えないと。あなたに「意識」があると思わざるをえないのは、こうして会話をしていると、あなたには意見や希望があると感じるからですね。だからロボットではありえないと。それを証明することはできませんが、そう思うのは私の脳がそのように働くからです。私の脳があなたにマインドがあると見なすということは、とりもなおさず木や岩や雲にマインドを見てしまうこともできるし、その延長で、天上に実体とは乖離した特別な存在があると見なすこともできるわけです。ですから本能的な「心の理論 theory of mind（他者の心の状態を推測する能力）」と言っていますが、これが宗教の起源の一つであると思います。

――いずれは科学が宗教にとって代わるのでしょうか。

ピンカー　知的な分野においてはすでに科学がとって代わっています。どの科学者も「それは神がそう言われたからそうなっている」などとは言わないわけです。ただ、われわれの心理に源を発するものについては、排除するのは難しいかもしれません。世界的な傾向としてとくに教育度の高い社会では、宗教への信仰は下がってきています。ただ、なぜ現実にそう見えないのか、なぜ宗教が強力に見えるのかというと、宗教信仰の低下傾向に対抗する力があるから、つまり宗教信仰をもった人たちがより多く子どもを作るからですね（笑）。ですから宗教をもった人の数は多くなっていくかもしれないけれども、途中で心変わりをする人たちというのは、（別の宗教に移るのではなく）必ず宗教の影響が少ないほうに転じていきます。

●人生の意味とメッセージ

——もしあるとすれば、人生の意味とはなんだとお考えですか。

ピンカー　おお、それですね（『21世紀の啓蒙』の初めに出てくる問題なので）。私自身は人生の意味はわかりませんが、いちばんそれに近いと思われるのは、「人類の繁栄」ということでしょう。「人類の繁栄」とは何を意味しているかというと、こういう会話をするための、つまり「人生の意味とは何か」を問うために必要な条件を整えるということです。もし私が死んでいたら人生の意味は問えませんから、まず「生命（いのち）」が必要だし、健康も必要条件です。病に侵されていたり飢えていたり戦争中だったりすれば、質問することさえできない。そういう質問を可能にするために必要な、基本的条件を整えるということです。加えてそもそもわれわれの両親が出会ってセックスしていなければわれわれは存在しないし、彼らが愛情をもって育てていなければ存在しない。ですから愛と交際と健康といった、人間にとって必須の事柄が、できるだけ多くの人々の手に入るようにするというのが、人生の意味の中心になるでしょう。

さらに知識と理性ですね。「人生の意味」を質問するためには思考が必要ですから、知識があればあるほど、アイディアが生まれてきますし、他の人たちと議論を交わすことで、さまざまな問いに対する自分の答えが磨かれていく。ですから「人生の意味」を聞くために必要とされる事柄こそが、人生の意味であると思います。

――最近最もエキサイトしていること、そして心配していることはなんでしょうか。

ピンカー 心配しているのは気候変動問題ですね。でも希望をもっているのは、人類の叡智がそれを回避することができるだろうと思うからです。完全に回避することはできませんが、新しいテクノロジーや世界的な協力という人類の叡智によって、破滅的な結果を回避することは可能だと思っています。多分。

——若い人たちにどのようなメッセージを伝えたいですか。

ピンカー メッセージは、「問題は解決可能だ」ということです。問題は必ず起こります。問題のないパーフェクトな世界などありえない。解決策が新たな問題を生み出しますから、次はそれを解決していかなければならない。「進歩」は可能です。「進歩」はずっと起こってきました。この事実はわれわれに、「進歩」を今後も続けていくための勇気と自信を与えてくれます。自然に「進歩」が起こるわけではないから、努力が必要です。でも、これまでそうやって解決してきましたから、将来も同じように解決していくことが可能だと思っています。

第5章 ノーム・チョムスキー

言語学者／哲学者

新自由主義(ネオリベラリズム)はファシズムを招く

Noam Chomsky

マサチューセッツ工科大学（MIT）名誉教授、アリゾナ大学教授。アメリカの帝国主義外交やネオリベラル政策を厳しく批判し、ベトナム戦争やイラク戦争にも強く反対。著書に『知識人の責任』『誰が世界を支配しているのか？』『メディア・コントロール』など多数。

photo:Laura Segall

人間のマインドに対する最大の罪は、証拠もないのに何かを信じることだ。

――オルダス・ハクスリー

グローバル化が進んで、どの国ももはや一国だけではやっていけないが、とくに資源の少ない小国は、グローバル市場へのアクセスと安全保障が国家の最大課題となる。現在世界的な傾向として、ナショナリズム、ポピュリズム、極右・極左主義などが台頭してきており、グローバル市場の安定が大きく揺らいでいる。その背景には一体どのような理由があるのだろうか。さらにこれはファシズムにつながっていくのだろうか。もしそうなら、その陥穽に陥らないようにするには、一体どのようなことをすればいいのだろう。

ノーム・チョムスキーは、言語学者にして認知科学者であると同時に、歴史家ならびに政治活動家として地道な反戦運動も継続してきており、反骨精神あふれる、世界で最も信頼されている知識人の一人である。

チョムスキーは、新自由主義政策によって、単に民営化が進んで富の格差が広がったのみならず、国家を借金漬けにしてしまうことで、国家破壊と西欧による支配を許すことになった結果、多くの人々の怒りや不満や恨みが、ナショナリズムや極右・極左政党の台頭につながってきたと言う。そしてファシズムは、その時代の最先端のテクノロジーを使ってプロパガンダを拡散させ、大衆煽動をするが、現在ではそれがソーシャルメディアになるはずで、実際2018年のブラジル大統領選挙で起こった混乱と惨状は、世界中で起こる可能性があるとも指摘する。

中東の石油に依存している日本にとって、中東問題からは目が離せないが、「マフィアのドン」のような存在であるアメリカが、ヨーロッパや日本の力を牽制するために中東の支配を手放さないとか、「知的財産権」とは市民のためのものではない、という指摘など、チョムスキーの鋭い洞察は、現実の表面をはがして、その裏に隠れていることの本質を白日のもとに提示してくれる。

と同時に、市民の地道な活動によって、人々の意識が高くなり、ケネディ大統領やジョンソン大統領がベトナム戦争でやったようなことは、もはや決してできなくなっている、という確かな希望も見えてくる。

インタビューはアリゾナ州ツーソン市にあるアリゾナ大学の副学部長室で行われた。降雨量が少なく、一年中ほとんど晴れの日ばかりというツーソンでは、大きなサボテンが至るところにあって、道幅が広く歩行者は少なく、チョムスキー（90歳）はほぼ毎日車を運転しているとのこと。

（2019年10月収録）

ファシズムに向かっているのか

●「緩和政策」が多大な格差を引き起こした

――ナショナリズム、ポピュリズム、極右・極左主義などが、ハンガリー、ポーランド、オーストリア、ドイツ、フランス、トルコ、ブラジル、アメリカなどの国々で台頭してきています。この現象をどのように説明されますか。またこれらはファシズムにつながる傾向だとして、警戒すべきなのでしょうか。

チョムスキー　確かに心配する必要はあります。それぞれの国に特有の理由もありますが、共通しているものもある。その一つは、前世代におけるネオリベラル政策（新自由主義：政府の介入を最小限にした自由市場経済を推進）の強い影響です。これらは世界の多くの国々で採用され、その後の緊縮財政政策によってその影響が増幅されてしまった場合もあります。これらの政策は、規制を緩和し、国民の政治への参加を排除してしまうなど、「ほとんどすべての生活を経済化してしまう」というふうにデザインされたものです。その影響についてはある程度予測されていましたが、現在ではその悪影響は明白です。すなわち緩和政策は、権力と富の集中を促し、急速に寡占・独占を許し、膨大な富の格差を引き起こしました。これによって、ほとんどの人々にとってはスタグネーション（停滞）と衰退の時期がもたらされたのです。

アメリカはまだ経済がけっこううまくいっている国ですが、実質賃金は1970年代のそれとほとんど変わっていません。付帯手当（有給休暇や健康保険、企業年金など）はかえって少なくなった。富の集中は明らかに民主主義の衰退に直結します。集中した富や企業の力が政治に大きな影響を与えることは明白ですが、それが過激なほど大きくなった。さらにそれが最高裁の判決によって拡大したんです。[*1]

ヨーロッパでも同様ですね。緊縮財政によってますます格差が広がってしまった。ヨーロッパの場合、もう一つ重要な要素が加わります。つまり、重要な事柄についての意思決定が、もはや各国の議会の手から離れて、ブリュッセル（EU本部）にいる、選挙で選ばれたのでもない官僚たちや、彼らに影響を与えるフランスやドイツの銀行の手に移ってしまった。しかも一般市民にとって非常に有害な決定がなされる。その結果、多くの怒りや恨みや恐怖がつのって、政党の「中道派の崩壊」につながってきたのです。伝統的な中道左派や中道右派が急速に力をなくしました。ドイツの社会民主党は19世紀にまで遡る伝統をもつ政党ですが、ほとんど消滅しつつある。中道右派政党も同様です。

アメリカでは硬直した政党システムのもとで、党の名前こそ残っていますが、党の指導部は批判にさらされています。共和党の指導部はトランプを歓迎していないし、民主党の指導部もバーニー・サンダースやエリザベス・ウォーレンを歓迎していないけれども、彼らを止めることができない。ヨーロッパと同じように政党制が崩壊しつつあるからです。

＊1　2010年に最高裁が Citizens United v. FEC の判決を下し、基本的には表現の自由を理由に、企業や組合からの政治献金の上限が外された。さらに同年 SpeechNow.org v. FEC の判決によっても、特定の候補者に紐づかない独立したキャンペーンへの支出ならOKということで、個人や組織からの献金の上限を外した。これらによって、スーパーPAC（特別政治活動委員会）と総称される独立した組織による、個人や企業からの巨額の選挙関連資金集めが可能になった。

●ブラジルで起こった最悪の選択——ソーシャルメディアによるプロパガンダの拡散

チョムスキー　ブラジルは少し異なっています。ルラ・ダシルバ（大統領、在任２００３-２０１１）のもとで非常に成功していた時代があって、世界銀行の長期調査によれば、ブラジルの「黄金の10年」と呼ばれるものでした。貧困が急速に減って、多くの人たちに開かれた社会になった。それまで社会から排除されていた層の多くの人々が、社会システムに参入できて、大学に行くことも可能になった。これが２０１３年まで続きました。

これに対して２０１３年から右翼エリートたちによるクー（coup 反乱）が起こりました。まず完全に捏造された疑惑（政府会計の不正操作）によりジルマ・ルセフ（大統領、在任２０１１-２０１６）の弾劾が始まった。そして２０１８年10月の次期大統領選挙では、ルラが立候補すれば再選される可能性が非常に高かった。とても人気があったからです。そこで彼らはルラを（収賄などの容疑で）投獄した。世界中で最も重要な政治囚です。投獄されただけでなく、政治的な発言をすることすら禁止された。大量殺人犯でさえ発言することが許されるのに、ルラが大衆に向かって発言することは許されなかった。

さらにソーシャルメディアを使った大キャンペーンが始まりました。これは、世界中でこれから起こりうることの前哨戦です。完全な嘘と中傷と相手を悪者にでっちあげる汚い手口のプロパガンダです。私もその時ブラジルにいたので、実際に目にしました。ほとんどの国民は新聞など読まないから、ソーシャルメディアが唯一のニュース源なんですね。だからとても大きな影響力がありました。

それらの人々が選んだのが、まったくどう形容していいか言葉を失うほど最悪の人物（ジャイール・ボルソナロ大統領）です。次から次へと目に余る行動のオンパレードですが、なかでも私が最低だと思うのは、議会でジルマ・ルセフ大統領弾劾の投票をした際に、彼はもちろん弾劾賛成に票を投じたんですが、その票を彼女の拷問者に捧げると言ったのです。[*1] 軍隊の拷問のチーフに捧げると。人間としてこれ以上落ちることができるでしょうか。次から次へとこのような行動が出てくる。

さらに、ボルソナロ政権は、国を売り払う政策を打っています。彼の経済政策のグル（教祖）は、急進的なシカゴ学派のパウロ・ゲデス（シカゴ学派のリーダー、ミルトン・フリードマンの弟子。ボルソナロ政権の経済大臣）です。ゲデスは、チリのアウグスト・ピノチェト軍事独裁政権時代に（大学教授として）チリにいたんですね。ゲデスのスローガンは「すべてを民営化しろ」というものです。国を海外の投資家のために提供しろと。これがすべてではないですが、彼らは軍事独裁政権時代に戻ろうとする傾向にあります。

＊1　アメリカに支援された1964年のブラジル軍によるクーデターの結果、軍事独裁政権が確立したが、それに抵抗する左翼ゲリラ組織の一員だったジルマ・ルセフは、1970年代に秘密警察に拘禁され、ひどい拷問を受けていたことが知られている。その際彼女を拷問したのが、陸軍秘密警察（Doi-Codi）で、それを率いていたのがカルロス・アルベルト・ブリリャンテ・ウストラ（2015年没）であり、ボルソナロはルセフ弾劾を決める投票の際、ウストラに自分の票を捧げると宣言した。

●誤った怒りの矛先

チョムスキー　巨大な富が蓄積される傍らで、一般市民の間に、希望の喪失、スタグネーション、崩壊への不満がつのり、自然と怒りや恨みを生み出しています。これらの感情はデマゴーグ（煽動家）たちによって利用され、身代わりとなるターゲットに向けて攻撃の矢が放たれることになる。一般市民を押しつぶしている「ネオリベラル・システム」という本命が攻撃されるのではなく、移民や黒人やヒスパニックたちがターゲットになる。それがデマゴーグたちのやり方です。ポピュリズムと言っているけれども、これはポピュリズムではなく、ファシズムの第一歩です。

これに対して非常に大きな反動が出てきています。それが、アメリカではサンダースというような非常にポピュラーな政治家を生むことになってきた。(サンダースに代表される反体制運動を)潰そうとしてもできないですね。また気候変動に対しても、既成の体制から離れた、若い人たちによる強力な運動も出てきました。もはやこれらを無視することはできない。

極右と極左が急速に力を伸ばしている一方、中道派は求心力を失っています。イギリスのブレグジットも同じ筋書きです。産業分野がマーガレット・サッチャーとネオリベラリズムによって潰されてから(新自由主義政策により民営化が推進され、国内産業が衰退)、人々は自分たちの怒りを示すために、自殺行為に近いような行動に走っているわけです。彼らの怒りは、ポーランドからの移民といった、まるで別のイージーなターゲットに向けられてしまっています。

そしてアメリカでは、トランプのプロパガンダですね。殺人犯やレイプ犯やイスラム過激派が国境を越えてやってくる、と煽る。まったくのでっち上げですが、人々に恐怖心を植えつけるには効果的だった。もともとの怒りを他所に向けるわけです。

●グローバル大企業を誰がコントロールするのか

――ユーゴスラビアはチトーとミロシェビッチが去った後、小国に分裂しました。われわれはグローバリゼーションや規制緩和政策による問題に対処すべく、今後、世界政府形成に向かうのか、それとも小国に分かれるのが自然の流れなのでしょうか。

チョムスキー　1990年代にはまだユーゴスラビア国民の大半が統一国家を支持していました。では、なぜユーゴスラビアが分裂したのか。一つの大きな理由は、IMF（国際通貨基金）のネオリベラリズム政策に沿って施行された「構造調整プログラム（SAP）」[*1]です。多くの人々にとって非常に有害な政策で、怒りや恨みをつのらせて国粋主義の台頭へとつながっていくことになった。実際ミロシェビッチは西欧のお気に入りだったんですね。彼が西欧のネオリベラル・プログラムを支持していたからです。で、その結果、国が分裂することになった。[*2] クロアチア人口の3分の1を占めるセルビア人マイノリティへの配慮なしに、ドイツがいち早くクロアチアを支持したことも、分裂の引き金となりました。

グローバリゼーションについてはどうか。グローバリゼーションはいいとも悪いとも言えませんね。どのように実行されるかによるわけで、労働者より投資家の権利を守る方向で実行された場合が問題になります。WTO（世界貿易機関）やNAFTA（北米自由貿易協定）、これらは自由貿易協定ではありません。投資家権利協定であって、貿易とはほとんどなんの関係もない。これらの協定を結ぶ際に、関与する国々の間で関税はすでにとても低かったんです。

これらは非常に強い保護主義に則ったもので、中心となるのは知的財産権の問題です。それまで存在しなかった膨大なパテント権利問題のことです。もしもこれらが19世紀に存在していたら、アメリカは現在まだ未発達な農業国のままだったでしょう。これらは製薬会社やメディア会社にとって利益をもたらしますが、そのために薬価が高騰したりするので、ほとんどの国の一般市民にとっては有害でしょう。グローバリゼーションがこういうやり方である必要はありません。他の方法だってあるのです。

＊1　構造調整プログラム（Structural Adjustment Program）は国際通貨基金（ＩＭＦ）と世界銀行（World Bank）が、経済危機に陥った国にローンを提供する代わりに、そ

の国に実践することを要求した自由市場政策で、国内では民営化と規制緩和、国外では貿易障壁の撤去が要求された。違反すると、厳しい財政上の制裁が加えられるので、従わざるをえない状況に追いやられた。

＊2 ユーゴスラビアはチトー大統領のもとで市場社会主義（market socialism）を採用し、ソ連の共産主義や西欧の民主主義ならびに資本主義ともケンカせずに、独自の路線を歩み、多民族が共存していた。チトー亡き後、ユーゴスラビアがソ連共産主義に傾倒することを恐れた西欧諸国は、ユーゴの国家分裂と緩和政策を推し進め（レーガン大統領）、１９９９年にはＮＡＴＯによるセルビア爆撃も敢行され（クリントン大統領）、結果コソボをはじめとしてアルバニア、マケドニア、ボスニア、クロアチアにはアメリカの軍事基地が設置された。また緩和政策によって外資が国内の産業・銀行などにとって代わり、ＩＭＦからの借金も何十倍に膨れ上がっていって、ギリシャ同様、新たな借金が利子の支払いにまわってしまう事態となっている（Boris Malagurski, *The Weight of Chains*, 2010）。

――大規模情報企業やグローバル企業などは、国家権力を凌駕する力をもちつつあるようです。そもそも国家に税金を払わないですし。

チョムスキー　まったくそのとおりで、非常に重要なポイントです。経済学者ショーン・スターズがまさにこの問題を丁寧に研究しています。[*1] グローバリゼーションのせいで、GDP（国内総生産）はもはやその国の経済力を表す有効な指標にはなっていないと指摘しています。彼は多国籍企業がどれくらいの富を蓄積しているかを調べたんですね。その結果は驚くべきものです。アメリカで生まれた多国籍企業が、世界の富の約半分を占めている。アメリカを基盤にしていて、アメリカの納税者の恩恵を受けながら、収益はどこかのタックスヘイブンに送ってしまうし、生産拠点も別の場所に移してしまう。生産や消費など経済のいろいろな部門を調べてみると、アメリカの多国籍企業がいずれの分野（とくに情報テクノロジー、医薬、金融など）もナンバーワンです。それはアメリカを基盤として生み出された集中した巨大な富ですが、アメリカ国家の富ではない。GDPだけを見るとアメリカは衰退しつつあるように見えますが、実はそうではない。これほどの富が集まったことは史上かつてなかったことです。

＊1　*The Persistence of American Economic Power in Global Capitalism*, 2014

――もはやどの一国も多国籍大企業を制御できないということでしょうか。

チョムスキー　できますよ。そうしないことを選択しているだけです。アップル社が税金を払わずにすむようにオフィスをアイルランドに移していることを許しているのは、単なる政策によるものです。自然法則でもなんでもない、人為的に選択された政策です。資本を世界中どこに動かしてもいいことになっているからです。そうする必要はない。資本の移動を制御すればいいいいだけです。

――国際連合（UN）や国際司法裁判所（ICJ）、世界貿易機関（WTO）といった国際機関がコントロールすることになるのでしょうか。

チョムスキー　（それらの機関を通じて）誰が実際にコントロールするのかが問題です。[*1] 国際企業や国家に任せておいたら、現状と変わりません。問題はそれらを「市民」のコントロールのもとに置くべきではないのかということです。

＊1　たとえばセルビア人から見れば、UN、IMF、NATO、WB（World Bank）、ICJといった組織は、単に西欧の利益を守るための出先機関にすぎないことになる。

中東問題

●なぜ米ドルが強いのか

――アメリカは世界の基軸通貨としての米ドルの地位を保つために、サウジアラビアを必要としているように見えますが。

チョムスキー　そうではないでしょう。サウジアラビア政府は米ドルに投資をしていますが、それなしでもアメリカには十分なパワーがすでにあります。

――アメリカのサウジアラビア支援が、中東に不要な緊張を生んでいるとは考えられませんか。

チョムスキー　そうは思いません。アメリカとサウジアラビアの関係を考えてみると、1967年までは、両者はそれほど親密ではなかった。そこで大きな変化が起こったのです。1967年にイスラエルがアメリカに対して大きな貢献をしました。[*1] 当時アラブ世界では、サウジアラビアを中心とするラジカルなイスラム主義派と、エジプトを中心とする世俗的ナショナリズム派との間で、紛争があった。アメリカはイギリス同様、イスラム主義派を強力に支持しました。帝国主義的な国々にとっては、世俗的ナショナリズムよりもラジカルなイスラム主義派のほうが（御しやすく）安全だったわけです。

イスラエルは、世俗的ナショナリズム派（エジプト）を打ち破ってサウジアラビアを支持したのです。それ以前にサウジアラビアとエジプトとの間で戦争があって、イエメンで交戦していたのですが、イスラエルがエジプトを打ち破ったおかげで、サウジアラビアが助けられた。アメリカとイスラエルとの関係、そしてサウジアラビアとの関係は、その時点で現在のようなものになったのです。当時はイランもアメリカ側でした。ＣＩＡが仕組んだクーデター（1953年）によって権力の座に据えられたシャー（王）がイランを支配していましたから。中東におけるアメリカの支配は、イスラエル、シャーが支配していたイラン、そしてサウジアラビアとの暗黙の同盟によって支えられていました。

現在アメリカは、サウジアラビア、アラブ首長国連邦、イスラエル、エルシーシ（大統領）独裁政権下のエジプトといった、反動的な国々と連携して、中東におけるコントロールを維持し、アメリカの利益を守ろうとしています。サウジアラビアのほうがはるかにアメリカを必要としています。石油生産にしてからが、サウジアラムコ（もとはアメリカ資本だったが、現在は国営の石油会社）ならびにアメリカ資本の石油会社が基本となっていますから。

*1　第三次中東戦争：「六日戦争」とも呼ばれるもので、イスラエルは先制攻撃によって勝利し、エジプトからシナイ半島とガザ地区、ヨルダンから東エルサレムを含むヨルダン川西岸、シリアからゴラン高原を占領した。

――しかし、石油の商取引に米ドルを使うのは重要なのではないですか。

チョムスキー　それは重要です。もちろんそれに対してサウジアラビアが手助けしていることは確かですが、世界の他の国々も米ドル決済を受け入れています。

――イランやリビア、イラク、ベネズエラ、ロシア、中国などは、できれば別の通貨を使おうとしています。

チョムスキー　だから彼らは敵国なわけです（微笑）。でも、中国やロシアでさえ米ドルの使用を認めています。アメリカに立ち向かうのは非常に危険だからです。ある意味、世界はマフィアによる支配のような感じです。マフィアのドンを怒らせるのは危険すぎる。イランとの関係でも明らかです。ヨーロッパの国々はトランプが「イラン核合意」[*1]を破棄したことに対して苛立っていて、まだ「イラン核合意」を支持すると表明していますが、なんら具体的な行動を示していません。アメリカを恐れているからです。

＊1　イランの核兵器開発疑惑に対し、米英仏独中ロとイランとの間で、イランに核開発の大幅制限を課して国際原子力機関（ＩＡＥＡ）がその進捗状況をモニターする代わりに、イランに対する経済制裁を解除することで、２０１５年に合意した。

●中東に「核兵器フリーゾーン」が実現しない本当の理由

――石油を別にしても、中東は民族と宗教上の対立の長い歴史を背負っています。平和的な共存の道を探ることは可能なのでしょうか。

チョムスキー　もちろんです。いろいろなやり方があります。一つの方法は、核兵器の脅威を終わらせることで、世界中が支持しているシンプルなやり方があります。アメリカだけが反対している。それは世界の他の地域ですでに確立されているように、「核兵器フリーゾーン（非核兵器地帯）」[*1]を中東に確立することです。イランも大賛成だしアラブ諸国も過去20年間唱道しているし、G77（77カ国グループ：現在では参加国が134カ国に増加している開発途上国によって形成された、国連の経済相互協力グループ）も大賛成している。ヨーロッパは積極的な発言はしませんが、支持の方向ですね。ノーとは言わない。5年ごとに行われる「核拡散防止条約」のレビューセッションでも、必ず提案されるのですが、必ずアメリカが拒否権を発動する。前回は、2015年のオバマ（大統領）の時です。

誰もがなぜアメリカがそうするのか知っていますが、誰も口を挟めないんですね。もし中東に「核兵器フリーゾーン」が確立したら、アメリカはイスラエルが核兵器を保有していることを認めなければならなくなる。アメリカはそれを認めるわけにはいかない。世界中の誰もが知っているこの事実を、知らないことにしておかなければならない。なぜなら、それを認めたら、アメリカの法律に従って、イスラエルへのアメリカの軍事的援助を停止しなければならなくなるからです。そうしたくないので、イスラエルの核兵器保有については、もっているかどうかわからないという立場を貫くことになっている。

もちろんイスラエルは核兵器をもっています。アメリカの方針のせいで、世界中の誰もが、とくにイスラエルを除いた中東の国々が最も望んでいる、中東における大量破壊兵器問題の最もシンプルな解決方法を、いつまでも採用できないことになってしまっているのです。そして、誰もそれについて発言しない。先ほど言った理由によります。つまり、マフィアのドンを怒らせてはまずいからです。非常に危険だから。日本はこのことをよく知っています（日米貿易摩擦[*2]などの例にあるように）。

そもそもアメリカが中東の石油支配に拘泥（こうでい）する理由は、日本と関連しているんです。1950年代前半にさかのぼります。ジョージ・ケナン（アメリカの外交官、政治学者。1904-2005）が「アメリカが中東の石油を支配している限り、アメリカは日本に対して拒否権を発動できることになる」と言っています。この方針は現在まで続いていて、今では日本以外の国に対してもこの姿勢が拡大しています。ズビグネフ・ブレジンスキー（カーター政権の大統領補佐官を務めたアメリカの政治学者。1928-2017）はイラク戦争（2003年）に強く反対していたんですが、同時に、「もしアメリカがイラクの石油を支配したら、中東の石油に依存しているヨーロッパと日本をコントロールする力が増大する、というメリットはあるかもしれない」とも言っていたんですね。これは地政学的には理屈の通ったやり方です。

アメリカ自身は中東の石油に頼っていません。実際1970年代までは産油国でした。現在また（フラッキング［水圧破砕法］などのおかげで）産油国に戻っています。中東石油は不要だけれどもコントロールする必要はあると。アメリカの中東政策は、アクセスではなくコントロールがその主軸なのです。アメリカが産油国であった昔からずっとこの方針は変わっていません。

＊1　条約により核兵器の使用（開発、実験、保有、持ち込み）や核兵器による攻撃・威嚇を禁止した地域。

＊2　日米の貿易収支が逆転した1965年以降、アメリカは日本に対してさまざまな貿易上の圧力をかけてきた。1972年の対ニクソン政権日米繊維交渉では、日本は対米輸出自主規制を受け入れ、1969年に続いて鉄鋼の自主規制を行い、1977年カ

ラーテレビもこれに続いた。１９８０年代には農産物と日本車が標的となり、自動車の輸出自主規制を受け入れた。１９８５年には日本の投資・金融・サービス業まで含むほとんどの分野でジャパン・バッシングが起こった。さらにスーパーコンピュータなどのハイテク分野でも摩擦が生じ、１９８７年にはレーガン政権が日本のパソコンやカラーテレビに１００％の関税を賦課(ふか)。知的財産権をめぐる訴訟も起こった。

日韓問題と中国の台頭

●争い続けていたら共倒れになるという認識が和解のカギとなる

――現在、韓国と日本は、第二次大戦後最悪の関係にあり、日本政府は韓国に対してフラストレーションが上がってきているようです。新しい韓国大統領が選出されるたびに、国内でのポピュラリティを上げるため、日本を感情的に攻撃し、時には政府間合意を破棄してまで更なる戦争賠償を要求するというような態度に出るからだという意見もあります。このような問題には、どのように対処していったらいいのでしょうか。

チョムスキー　日本は韓国に対してかなり厳しい占領者だったわけですから、責任があることも確かで、韓国だけを責めるわけにはいかないでしょう。これは、とにかく粘り強い交渉によって解決していかなければならない問題です。

同じような紛争は歴史上いくらでもありました。フランスとドイツ（ハプスブルク家）は何百年もの間、お互いに相手を撲滅することを目指していた。たとえば17世紀の三十年戦争では、ドイツ人の25〜30％が壊滅しました。何百年もの相互殺戮を経て、最終的には1945年に和解に到達したわけです。ですから和解は可能なことです。

――和解のカギとなるのはなんでしょうか。

チョムスキー　この例でいえば、ヨーロッパ人たちが、このまま殺戮を続けていたら、次の戦争ではヨーロッパ全体が壊滅してしまうということを理解したからです。核兵器の出現によって、大国間での戦争は不可能になりました。

――中国が着々とその軍事的存在感を高めていくのを目のあたりにして、周辺諸国は警戒心を強めてきています。中国はアジアの脅威となりつつあるのでしょうか。

チョムスキー 誰にとっての脅威かということです。西欧にとっての脅威ではない。南シナ海周辺での紛争ということであって、カリブ海に進出してくるというわけじゃない。アメリカの縄張りである西太平洋への進出ではない。中国にとって周辺海域は、貿易上重要な領域です。だからその周辺をコントロールしておきたい。実際に、やるべきでないことを中国はやっていると思いますが、従来の型どおりの覇権争いです。「上海協力機構(SCO)」[*1]が昔のシルクロード地域の国家群(カザフスタン、タジキスタン、イラン、インド、パキスタンなど)を中心に触手を伸ばしているのも、中国のような新興勢力にとっての政治地理的な懸案事項だからということです。

中国はその実質的な経済力ならびに軍事力に関しては、まだ西欧諸国のレベルには到底及ばない。環境問題、(少子高齢化などの)人口統計上の問題など、西欧諸国が直面していない多くの国内問題を抱えたままの、貧しい国です。国連の人間開発指数(所得、寿命、教育水準などから計算する指数)を見てみると、2018年の段階で中国は86位です(日本は19位)。

アメリカが中国の発展を阻止しようとしているのは特筆すべきことです。中国に対してアメリカが非難している内容を見てみると、われわれの仕事を奪っていると。中国がアップル社の責任者に銃を突きつけて、中国に投資すべきだと脅しているのでしょうか。そうじゃない。アメリカ企業がアメリカ国民から仕事を奪っているのです。でもそれについては誰もが黙っている。

＊1　中国とロシアを中心として、インド、パキスタンも参加する、ユーラシア大陸を基盤とする、人口と総面積で世界最大の地域協力組織で、当初は経済協力を目的としていたが、合同軍事演習も行うようになり、将来はアメリカを中心とするNATOに対抗する軍事国家連合となることが期待されている。

●医薬に関する「知的財産権」の侵害について

チョムスキー　中国は政府主導の「産業政策」（政府主導で、特定の産業を保護し育成する政策）を行っています。歴史上アメリカをはじめとしてイギリス、日本など、すべての先進国が採用してきたやり方です。それを今中国が行っていて、それは阻止しなければならないと言うわけです。経済学で学ぶ「自由市場経済」の概念を信ずるならば、中国が「産業政策」を採用していることをアメリカは喜ばなければならない。自由市場経済説によれば、「産業政策」は経済にダメージを与えるはずだからです。でも実際にはそうではないことを誰もが知っている。「産業政策」によって先進国は発展してきたのですから。アメリカも60年代、70年代の「産業政策」のおかげで、現在ハイテク産業が盛んになっているわけです。中国がやっていることは、過去に他の先進諸国がやってきたことです。

中国は「知的財産権」を侵害していると言う。でも、ちょっと考えてみてください。中国が製薬会社のパテントを無視して、勝手に安価な薬を量産しているとしましょう。その場合、誰が損をして誰が得をするのか。安価な薬が手に入ることで世界の一般人は得をするのです。製薬会社は少し損をするけれども、一般人にとってそれは問題ではない。もちろん中国はひどい専制国家ですし、厳しい監視・統制社会であることは間違いないですが、おかしなことに批判の対象となっているのはそこではないんですね。中国は先進国になろうとしていて、もはや西欧に従順ではない、その点が批判されているのです。

——薬の製造に関して言えば、新薬を作るための研究に多大な費用がかかっているということではないのですか。

チョムスキー　ほとんどナンセンスです。研究のいちばん大事な難しい部分は、大学や国の研究機関でなされたものです。マサチューセッツ工科大学（ＭＩＴ）の周辺を見渡してみてください。一体どのようなビルが建っているのか。ノヴァーティスやファイザーといった製薬会社です。なぜ大製薬会社がＭＩＴの周辺に林立しているのか。国民の税金をもとにした研究費を使ってなされた研究の成果を、彼らがもぎ取ろうとしているからです。もぎ取った成果を彼らが市場に出して収益を得るわけです。もしも、製薬会社でなく国の機関が、研究成果を市場に出すことになっていたら、薬の価格はずっと低かったでしょう。

50年前はそこにレイセオンなどの軍需企業がひしめいていました。当時の経済最先端はエレクトロニクスで、ペンタゴン（アメリカ国防総省本部）がもっぱら研究費をＭＩＴなどに拠出していた。そこからコンピュータやインターネットが生まれてきたのです。

●トランプ政権と人類史上最悪の共和党

——トランプ政権をどのように評価されますか。

チョムスキー　誰もあえて言おうとしませんが、あまりにも明白でシンプルな事実は、現在の共和党は人類史上最悪の組織だということです。誰もがそう思っていますが、黙っている。数年前のパリ協議（COP21）の際、炭素排出量を減らすための拘束力ある条約を結ぼうとしたけれどもできなかった。共和党が原因です。共和党が承認しなかったから、恣意的な合意書どまりでした。世界中どの国も、なんらかの温暖化対策を講じています。なんらかの対策をとらなければ、20~30年後に大きな危機に直面することになるからです。しかしアメリカはなんの対策も講じないどころか、反対に排出量を増加させるような、化石燃料の使用を増やす方向に向かっている。

共和党のリーダーたちは、温暖化否定論者ばかりです。約10年前、共和党は地球温暖化対策に対して積極的でした。法制化も辞さない姿勢を示していた。２００８年に共和党の大統領候補だったジョン・マケインは、地球温暖化への対処を公約に掲げていました。しかし、エネルギー産業に携わる巨大な資本家であるコーク兄弟[*1]がこの政策提案を阻止したんですね。国会議員たちに資金供与することで、彼らを手なずけたわけです。これは中東の核兵器フリーゾーン案件と同じで、皆が知っているけれども、話題にすることを避けている問題です。

＊1　エネルギー産業に携わる富豪資本家。保守主義やリバタリアニズムを政治信条とし、ヘリテージ財団（保守系シンクタンク）やケイトー研究所（リバタリアニズムの拠点の一つ）、かつてティーパーティ運動を推進していたＡＦＰ（Americans for Prosperity）といった保守系の団体に多大な寄付を行っている。

――ということは、トランプ大統領自身はそれほど大きな問題ではないということですか。

チョムスキー　彼は、ナルシストで誇大妄想狂で、とにかく自分しかない、なんのイデオロギーももっていない人物です。すべては自分自身のためであって、世界が消滅しようがどうしようがまったく構わない。

合意の形成

●恐怖を煽って合意を形成する

――啓蒙思想家の一人であるイマヌエル・カントは「自分の理解というものを使う勇気をもて。サペレ・アウデ（あえて知ろうとせよ）」と言ったわけですが、反啓蒙主義の思想家ジョゼフ・ド・メーストルは「もし個人が勝手に決断することを許せば、アナキー（無政府状態）を招くことになる」と言うわけです。

チョムスキー　人々が自分の意見を言うことで、（アナキーではなく）民主主義につながる可能性だってあるでしょう。これは、権力を手にして支配したい者たちにとっては脅威です。民主主義への変革の歴史を振り返ってみれば、17世紀のイギリス、18世紀のアメリカ、その後他の国々が続くわけですが、いずれの場合も、民主主義や社会改革や教育改革が起ころうとすると、エリートたちが強く反対しているんですね。

アメリカの憲法は、18世紀当時としては急進的なものでした。マイケル・クラーマン

（憲法学者）の『*The Framers' Coup*』（２０１６年）には、当時の憲法制定者たちが、どのようにして民衆が求めていた過度の民主主義の台頭を妨げたのかが記述されています。20世紀の進歩主義知識人たち、ウォルター・リップマン（ピューリッツア賞受賞、ジャーナリスト。１８８９−１９７４）やハロルド・ラスウェル（政治学者。１９０２−１９７８）たちが書いた民主主義論を読むと、過度の民主主義には注意しなければならない、そうでないと「責任ある人々」による統制が成り立たないからだ、と。「責任ある人々」とは、中央権力の命令に従う人たちのことです。昔から現在までこの姿勢は変わっていません。

――それで思い出しました。ナチ政権のリーダーの一人だったヘルマン・ゲーリングは、「もちろん大衆は戦争などしたくはないけれど、彼らを戦争に同意させるのは簡単なことだ。単にわれわれは攻撃されたと伝えて、平和主義者たちを、愛国心に欠けた国家を危険にさらす輩だと非難すればいい」、民主主義だろうと共産主義だろうと、どんなシステムのどの国でもこれは同じように効果的だと言うわけです。

チョムスキー　それは非常に簡単に証明できます。第一次世界大戦の例を見てみると、

1916年にウッドロウ・ウィルソンが大統領に再選されたんですが、「勝利なき平和」というスローガンを掲げていました。一般大衆がみな平和主義者だったからです。それから1年もたたないうちに、平和主義者たちをヒステリックな反ドイツ主義者に仕立てるために、「クリール委員会」（ジョージ・クリールを委員長とする、戦争煽動を目的とした広報委員会）を仕立てて、イギリス情報局のプロパガンダを利用しました。ドイツがいかにひどいことをしているかといった嘘八百のキャンペーンを展開したんですね。

これはみごとなほどうまく効果を発揮しました。1年以内にボストン交響楽団がベートーヴェンの音楽を一切演奏できないというところまでいった。進歩的知識人たちはそれに喝采を送って、その中心で指揮を執っていたんです。ウォルター・リップマンとエドワード・バーネイズ（フロイトの甥で、大衆煽動と広報活動の基礎を作った。1891-1995）は広告会社を作りました。彼らは「クリール委員会」に入っていた。委員たちは、リップマンが言うところの「民主主義を施行するための新しい技法」すなわち「上からの合意の形成」ということに専心していたわけです。彼が20世紀の進歩的知識人を牽引していました。

いつの時代でも同じことが起こってきました。第一次世界大戦では、どちらの側も、知識人たちはほぼ例外なく体制支持に回っているんですね。ドイツでは知識人たちによる

「93人のマニフェスト」が発表され、なぜドイツが正しいのかという論を展開しました。イギリスも同様です（イギリスの作家たち53人による「イギリスの戦争擁護」声明）。アメリカではウィルソンが国民の意見を好戦的なものにひっくり返した。フランスも同じです。

戦争に反対した人たちもいました。バートランド・ラッセルやユージン・デブス（アメリカの政治家、労働運動活動家。１８５５－１９２６）やローザ・ルクセンブルク（ポーランド生まれの哲学者、革命家。１８７１－１９１９）などです。彼らはどうなったか。投獄されてしまった。

――民主主義でも戦争を避けられないということですね。人間の生存本能を刺激すれば、容易に市民を戦争に誘導することができると。

チョムスキー　人々を脅かすことが簡単だということです。現在アメリカ人は国境を越えてやってくる移民たちを恐れています。収容所に入れられている移民の子どもたちは脅威なんでしょうか。そもそもアメリカがレーガン時代に、中米にある彼らの国々を崩壊させたから、彼らが逃げてこざるをえなくなったわけです。でもプロパガンダを読むと、彼らは犯罪者でありレイプ犯であり、白人を標的とした殺人者だということになる。そうやって人々を恐怖に陥れることが可能なのです。

●プロパガンダの罠にはまらない方法

——人間の本性を考慮したうえで、このような策略に陥らずに済む方法があるでしょうか。

チョムスキー　あります。人々による活動です。実際に成功してきています。1960年代前半にジョン・F・ケネディが、今ではありえないようなやり方でベトナム戦争をエスカレートさせました。化学兵器（ダイオキシンを含む枯葉剤）を使って農作物や家畜を殲滅したり、アメリカ空軍による爆撃、そしてゲリラ（南ベトナム解放民族戦線：ベトコン）をサポートしていた農民たちを「戦略村」と呼ばれる強制収容所に入れて隔離したりした。それなのに一つも反対デモが起こらなかったのです。

現在いかなる大統領も、そのようなことをするのは不可能です。遅きに失した感はあるものの、地道な反戦運動が日本も含めて世界中で広がってきたからです。この運動が人々の意識を変えてきた。まだ十分とは言えませんが、確実に変わってきています。その証拠に、イラク戦争（2003年）の時は、帝国主義史上初めて、戦争が始まる前に戦争反対のデモが巻き起こったのです。戦争を止めることはできなかったけれども、少なくとも戦争のやり方に制限を与えることになった。

ケネディやジョンソンがベトナムでやったようなことは、もはや絶対にできません。変化は、時間がかかるけれども可能です。反戦だけでなく、女性の権利や公民権など、他にもいろいろありますが、みな同じです。何もしないで変化が起こるわけではない。努力が必要です。とくに若い人たちが、気候変動問題や種の絶滅問題などに対して、人類の将来のために積極的に活動をしています。

――確かにスーダンでも、現在起こっている革命は、若い人たちと女性によって実行されています（2018年12月に、市民的不服従の手法で始まった革命は、30年に及ぶオマル・アル＝バシール軍事独裁政権を倒した）。

チョムスキー　最近（若い市民による運動が）よく見られるようになりました。

未来への展望

●嘘の拡散と人々の細分化

――MITの研究によりますと、インターネットを通じて、嘘は6倍も速く、広く、深く伝わることがわかりました。社会に嘘が蔓延していると、一体どれが真実でどれが嘘なのかわからないので、人々は抵抗する意欲を失ってしまいます。

チョムスキー　確かに嘘は問題ですが、嘘を見抜くことは、素粒子物理学ほど難しいことではないですね。私が言っていることは、誰でも少し調べればわかることです。プロパガンダがいろいろあっても、それを見抜くことはそう難しくはない。人々が積極的にそうしないのは、受動的で従順であるように訓練されてきたからです。エリートが言うところの「過剰な民主主義」があればできることです。

それには組織が必要です。労働組合は、ネオリベラル政策によって徹底的に抑圧され消滅してしまいました。組織された労働者たちは、産業革命以降「公正」「自由」「民主主義」「変革」を獲得するために最前線で活動してきました。だから労働者が組織を作るのは危険だと考えられ、彼らが個人個人バラバラになるように仕向けられてきた。一人一人が自分の携帯電話を見つめていて、お互いに話をしない状態が、社会を支配するには最も都合がいいわけです。この傾向に反対する若い人たちの運動は、以前の「自由」と「進歩」を求めた運動の流れを汲むものです。

●テクノロジーは単なる道具にすぎない

――情報産業に携わる人たちは、テクノロジーが個人の力を強化して、より分散型の社会をもたらし、それによって世界はより安全に、透明に、そして民主的になる、と予測しています。

チョムスキー　情報テクノロジーは、他のテクノロジーとなんら変わるところのない、中立なものです。使い方によって良くもなるし悪くもなる。中国に行ったら、情報テクノロジーは人々を監視することに使われています。「社会信用スコア」（個人の行動や発言などを評価・採点して個人スコアをつける国民監視方法の一種）など、情報テクノロジーがあって初めて可能になったことです。一方で、温暖化対策を講じるためのツールとして利用することも可能です。テクノロジーは金槌と同じで、それを使って何かを建造するのか、誰かの頭を殴るのか、テクノロジー自体はまったくどちらでもいいわけです。

――しかしテクノロジーを使うことで、人々がより孤独になっていく傾向もあるようです。

チョムスキー　細分化されていくということです。ファストフードの店に行くと、ティーンエイジャーたちがテーブルに集（つど）っていますが、それぞれ携帯を手にして、別の場所にいる人と話をしていて、お互いの間では実際の会話をしていませんね。完全なる細分化です。ある有名なアメリカの大学では、構内の歩道表面に掲示板がはめ込まれていて、そこには「上を見ろ」と。

――（大笑）。

チョムスキー　（微笑）まさに、極端な細分化が進んでいます。幸いなことに、そういう影響を受けない人たちもいます。サンライズ運動（気候変動に関する政治的対策を促す政治的活動）やエクスティンクション・リベリオン（地球温暖化、生物多様性喪失、人類絶滅に対する政治的決断を促す市民運動）などの例にあるように、若い人たちが積極的な活動を展開しています。でもテクノロジーそのものはまったく中立です。

――テクノロジーが細分化を加速させているということはないですか。

チョムスキー　細分化を加速させる反面、組織化も加速させています。どのように使うかということだけであって、テクノロジーは単なる道具にすぎません。

●二つの大問題と一つの希望

――遺伝学者であったJ・B・S・ホールデンは「科学的進歩は、倫理面での同じような進歩を伴わない限り、発展よりも苦悩をもたらす」と言ったのですが。

チョムスキー　そうです。倫理面だけでなく、社会的な組織化（オーガニゼーション）を伴わなければ、ですね。優れた倫理観をもつのはいいことですが、それが有益な社会政策につながっていかないのであれば、なんの意味もないでしょう。単に倫理観だけでなく、オーガニゼーションや積極的な活動に発展することが大事です。

グリーン・ニューディール（気候変動と経済的格差問題を中心とする政策立案）は、二年前にはほとんど誰も知らなかった。でも現在では、立法化が検討される案件の中核に位置しています。一体何が起こったのか。若い人たちで構成された小さなグループによるサンライズ運動が活発になって、議会で座り込みをしたりして、オカシオ＝コルテスをはじめとする若い議員たちの支持をとりつけることに成功し、数カ月のうちに法制化が検討される重要案件となったのです。彼らが、人類を破滅から救うことになるかもしれません。それは彼らが倫理的だからではなく、彼らが実際に活動しているからなのです。

――今いちばん心配していること、そして希望をもっていることはなんでしょうか。

チョムスキー　良識ある人々が心配しなければならないことは二つあります。われわれは破壊に直面しています。一つは気候変動、地球温暖化によるものです。主要科学誌の一つである『原子力科学者会報』に、レイモンド・ピエールハンバート（物理学者）が記事を寄せていますが、[*1]「直截に言おう。気候変動危機に関しては、パニックすべき時だ」と書いています。

もう一つは核戦争です。広島・長崎以降、これまで核戦争が勃発していないのはほとんど奇跡的です。あと数分、というところまで行ったことが何度もある。現在アメリカが率先して兵器制限条約を破棄しつつあります。ＡＢＭ条約（弾道弾迎撃ミサイル制限条約）は、ブッシュが破棄しました（２００２年）。ＩＮＦ条約（中距離核戦力全廃条約）は、トランプが破棄し（２０１９年）、そして新しいＳＴＡＲＴ（戦略兵器削減条約）にアメリカは調印しないと脅している。これらによって、新しい非常に危険な兵器開発への扉が開かれてしまった。人類の生存確率が急落しました。これら二つの問題に直面しながら恐怖を感じていないとすれば、思考停止しているということです。

希望はどこにあるか。若い人たちの驚くべき活動です。彼らが強いメッセージを送っています。問題は、われわれがそれに耳を傾けるかどうかです。

*1 *There is no Plan B for dealing with the climate crisis*, Bulletin of the Atomic Scientists, Aug. 2019

あとがき

「生命」と「自由」と「真っ当な感覚」の最大の敵は完全なるアナキーであり、二番目の敵は完全なる効率の良さである。

――オルダス・ハクスリー

嘘と孤独とテクノロジー

「真実がまだパンツをはこうとしているころ、嘘のほうはすでに世界を一周している」と言われるように、インターネット上では、嘘は真実よりずっと速く、広く、深く伝わることが確認されました。なぜなら、嘘のほうが真実よりもカラフルでインパクトがあって驚きの度合いが高いからだと。

新聞やテレビといった既成メディア会社は、できる限り嘘を排除してニュースを提供しようと努力していますが、インターネット上ではファクトチェックされない情報が垂れ流しです。プラットフォーム会社はメディア会社ではないから、自社を通じて提供される情報内容の責任を負わないので、個々のユーザーが、それらの真偽を一つ一つ確かめながら、プロパガンダに騙されないようにして集団ヒステリーを避ける責任をすべて背負うことになります。

またソーシャルメディアは、ユーザーの数を増やして広告収益を上げるために、検索履歴をフォローして、個人の興味や好みに沿った検索結果や広告内容にフォーカスしていくので、ユーザーは自分の興味の範囲内で生活してしまうような「フィルターバブル」に籠もりがちになります。さらにユーザーの注意を引きつけてアクセス数を上げるために、真偽とは関係なく、よりセンセーショナルなニュースが優先的に提供される仕組みになっていて、人々を怒りや不安で分断させる傾向も強くあります。

では、インターネットを通じて、明らかなものからそうでないものまでさまざまなレベルの嘘を振りまくことに、一体どんなメリットがあるのでしょうか。それは、嘘が日常化することで嘘に慣れてしまい、「目や耳に入る情報は何も信用できない」という疑いと諦めの気持ちを生んで、人々を従順にさせる効果があり、結果として権威主義による支配を許してしまうことになるというわけです。

「テクノユートピア」を提唱する未来学者たちは、テクノロジーは分散型社会をもたらし、それによって社会の安全性と透明性が増して、民主主義が強く支えられ、ソーシャルメディアなどを通じて地球上の人々が繋がり合えば、偏見や恐怖や差別から解放され、人類の平和に貢献する、と言います。

それに対してティモシー・スナイダーは、完全な「透明さ」とはすなわち全体主義のことであり、パブリックな部分とプライベートな部分の区別がないということだから、社会のすべてが「透明になる」というのは恐ろしい予測だと言います。われわれが自由であるためには、自分の一部はプライベートでなければならないと。

また分散型になるということは、個人の責任が大きくなることでもあります。たとえば国家に支えられていない仮想通貨の場合、パーソナル・キーを紛失したら全財産が一瞬にして消えてしまうとか、「ワンコイン」のような実体のない暗号通貨に世界中の人々が５６００億円も投資して騙されてしまうなど（The Times, Dec. 15. 2019）。また、ネット上の星の数を信用して雇ってみたら、ひどい職人だったとか、数滴の血液で200種類以上の病気を診断するという触れ込みだった「セラノス社」のような実績を伴わない会社が、一時は時価総額約1兆円（2015年8月）にものぼる会社として認識されてしまうようなことも、わりあい短期間に起こってしまいます。

そもそも個人のリスクを少なくするために、企業や国家を作ったわけで、そこからまた個人に戻るとなると、責任の所在が不明確になり、個々人はコントロールされやすくなってしまうでしょう。

さらに「弧立」は、社会性、共存能力、交渉能力を退行させ、1日タバコ15本にも匹敵する健康被害があるだけでなく[*1]、コミュニティの力が弱まり、国家が弱体化して、グローバル市場での競争力が低下してしまうことにもなります。

スナイダーは、ホロコーストの研究から、「市民であること」「国民であること」「どこかに所属していること」がいかに大事かを訴えています。あなたのことを知っている人がいるコミュニティに所属していれば、あなたを気にかけ助けてくれる人も出てくるのであって、テクノロジーが進んで分散型社会になり、人々が一人一人になってしまうと、最も弱い存在になってしまうのだと。

スナイダーは、人間の本性がもたらす「部族主義」を回避するには、「知識は重要だ」「確認できる事実は存在する」「真実は大事だ」という倫理的な立場を、それぞれしっかり認識していこうと強調。真実を大事にするためには「言葉を大切に」して何ごともよく調べよう、地道に検証していくことで真実を確認しようとする調査報道がこれからますます大切になっていくと。これは、ジョージ・オーウェルが『1984年』の中で語っていた、「貧しい言葉は全体主義を招く」というテーマとも重なります。

目を見つめ合う人間同士の直接的なつながりが、社会の「信頼」を構築するうえでは、最も大事だということなのでしょう。

テクノロジーの発達は止められないわけですが、テクノロジーがいくら発達していっても、社会が効率ばかりを求めて多様性を失ってしまわないよう、そしてファクトチェックを重ねて熱狂を避け、あくまで真実を大切にしていくことを願っています。

＊1　*The Potential Public Health Relevance of Social Isolation and Loneliness* Oxford Academic, January 2018

これら5人の知の巨人へのインタビューは2018年10月から2019年10月までの間

に収録されたものです。カメラマン、ビデオグラファーとその助手、そして私の４人で収録に当たりました。インタビューの抜粋版は、季刊誌『ｋｏｔｏｂａ』２０１９年春号、２０１９年夏号、２０１９年秋号、２０２０年冬号に「知の巨人」シリーズとしてそれぞれ掲載され、またチョムスキーの抜粋版は２０２０年冬号の「特集インタビュー」として掲載されました。

この企画を実現するにあたり、写真撮影、ビデオ撮影では Joseph Krpelan, Georg Hitsch, Carl Rutman, Alistair Wilson, Jake Belcher, Vladimir Gurin, Laura Segall, Matt Marzulo の各氏に、英文チェックでは Hanna Tonegawa 氏に、また連絡・調整その他では Lidiia Akryshora, Teresa Salvato, Stephanie Atwood, Mila Bertolo, Valeria Chomsky, Lora Harwood の各氏に、ウィーン、ボストン、ツーソン、それぞれの都市で大変お世話になり、心から感謝しております。

この本の制作に当たっては、素晴らしい理解力をもって強く温かいサポートをしてくださった集英社インターナショナルの川口智子さんに深く感謝しております。

２０２０年４月

吉成真由美

吉成真由美 よしなり まゆみ

サイエンスライター。マサチューセッツ工科大学卒業、ハーバード大学大学院修士課程修了。元NHKディレクター。著書に『知の逆転』『知の英断』『人類の未来 AI、経済、民主主義』（インタビュー・編、すべてNHK出版新書）、『進化とは何か：リチャード・ドーキンス博士の特別講義』（編集・翻訳、早川書房）等。

嘘と孤独とテクノロジー 知の巨人に聞く

インターナショナル新書〇五一

二〇二〇年四月一二日 第一刷発行

著者 吉成真由美（インタビュー・編）
発行者 田中知二
発行所 株式会社 集英社インターナショナル
〒一〇一-〇〇六四 東京都千代田区神田猿楽町一-五-一八
電話 〇三-五二一一-二六三〇
発売所 株式会社 集英社
〒一〇一-八〇五〇 東京都千代田区一ツ橋二-五-一〇
電話 〇三-三二三〇-六〇八〇（読者係）
〇三-三二三〇-六三九三（販売部）書店専用
装幀 アルビレオ
印刷所 大日本印刷株式会社
製本所 加藤製本株式会社

 Printed in Japan ISBN978-4-7976-8051-5 C0230

定価はカバーに表示してあります。

インターナショナル新書

022
ＡＩに心は宿るのか
松原　仁

高い知能を有するＡＩに「心」が宿る日は来るのか？　汎用人工知能の研究者である著者がＡＩ社会の未来を予見。羽生善治永世七冠との対談を収録！

037
チョムスキーと言語脳科学
酒井邦嘉

脳科学が言語の謎に挑む――。厳密な実証実験により、チョムスキーの生成文法理論の核心である〈文法中枢〉の存在が明らかに！

042
老化と脳科学
山本啓一

「脳」と「老化」の関係は？　『ネイチャー』誌などから世界最先端の研究をキャッチアップ！　脳の老化を遅らせる治療法や生活習慣なども紹介。

047
対論！　生命誕生の謎
山岸明彦
高井　研

生命が生まれたのは、海か陸か？　まったく異なる説を唱える二人の学者が、生命の起源や進化の謎について激しく論じ合い、生命の本質を明らかにする。

049
ツーカとゼーキン
知りたくなかった日本の未来
明石順平

確実に訪れる冬の時代を乗り越えるために必要な税制とは何か。通貨と税金の仕組みや歴史、その役割を解説し、これからの「税のあり方」を示す。